DU MÊME AUTEUR

Aux Éditions Gallimard

LE GRAND VOYAGE, 1963 («Folio» n° 276).

LA GUERRE EST FINIE, 1966.

L'ÉVANOUISSEMENT, 1967.

LA DEUXIÈME MORT DE RAMÓN MERCADER, 1969 («Folio» n° 1612).

LE «STAVISKY» D'ALAIN RESNAIS, 1974.

LA MONTAGNE BLANCHE, 1986 («Folio» n° 1999).

L'ÉCRITURE OU LA VIE, 1994 («Folio» n° 2870).

ADIEU, VIVE CLARTÉ..., 1998 («Folio» n° 3317).

LE RETOUR DE CAROLA NEHER, Le Manteau d'Arlequin – Théâtre français et du monde entier, 1998.

LE MORT QU'IL FAUT, 2001 («Folio» n° 3730; «La Bibliothèque Gallimard» n° 122. Accompagnement pédagogique par Vladimir Angelo et Brigitte Wagneur).

VINGT ANS ET UN JOUR, 2004 («Folio» n° 4364).

LE FER ROUGE DE LA MÉMOIRE, *Romans : Le Grand Voyage - L'Évanouissement - Quel beau dimanche! - L'Écriture ou la vie - Le Mort qu'il faut. Préfaces. Essais : L'Arbre de Goethe - Mal et modernité - Ni héros, ni victimes. Weimar-Buchenwald - L'Expérience du totalitarisme.* Collection Quarto, 2012.

EXERCICES DE SURVIE, 2012.

Chez d'autres éditeurs

L'ALGARABIE, Librairie Arthème Fayard, 1981 (Repris en «Folio» n° 2914).

MONTAND, La vie continue, Denoël, 1983 (Repris en «Folio actuel» n° 5).

FEDERICO SANCHEZ VOUS SALUE BIEN, Grasset, 1993.

MAL ET MODERNITÉ, Climats, 1995.

NETCHAÏEV EST DE RETOUR, J-Cl. Lattès, 1996.

AUTOBIOGRAPHIE DE FEDERICO SANCHEZ, Le Seuil, 1996.

LES SANDALES, Mercure de France, 2002.

QUEL BEAU DIMANCHE !, Grasset, 2002.

L'HOMME EUROPÉEN, en collaboration avec Dominique de Villepin, Plon, 2005.

UNE TOMBE AU CREUX DES NUAGES, Climats, 2010.

SI LA VIE CONTINUE..., Entretiens avec Jean Lacouture, Éditions Grasset, 2012.

EXERCICES DE SURVIE

JORGE SEMPRUN

EXERCICES
DE SURVIE

récit

Introduction de Régis Debray

GALLIMARD

Il a été tiré de l'édition originale de cet ouvrage
quarante exemplaires sur vélin pur fil des papeteries
Malmenayde numérotés de 1 à 40.

Semprun en spirale

par Régis Debray

Aime-t-on Jorge Semprun pour ce qu'il a été ou pour ce qu'il a fait de ce qu'il fut ? Il peut sembler absurde, encore plus pour lui que pour d'autres, de vouloir dissocier l'œuvre de la vie, mais devant l'avalanche des hommages posthumes à l'individu, on se prend à penser que le témoin a fini par faire de l'ombre au poète. On avait toutes les raisons de se laisser éblouir : cette ombre personnelle est un habit de lumière. L'homme portait les cicatrices d'un XXe siècle d'épouvante. Il en a épousé les ensorcellements et les désillusions, à bras le corps. Pareille densité de destin, peu de nos aînés auraient pu y prétendre.

Sans doute, parmi ces élus de l'Histoire, cette aristocratie du malheur, n'aurait-il pas manqué lui-même de placer son grand frère, Malraux, qu'il admirait et dont le mot d'ordre : « transformer l'expérience en conscience » aurait pu être le sien. Plus mondial peut-être, mais moins européen, le Français monolingue est passé par Shanghai mais non par Buchenwald. Notre homme-frontière polyglotte, hispano-germano-français, est, lui, un feuilleté d'Europe, un concentré de ses plus hauts lignages. Il a fait se rencontrer le courage et le panache du Castillan, le souci

9

métaphysique de l'Allemand, et la sèche lucidité du Français. Résistant à Paris, déporté près de Weimar, clandestin à Madrid – puis ministre au même lieu –, la légende avait de quoi faire. Il en résulta un écrasant prestige. Ce que le Hongrois Imre Kertész, ancien déporté lui aussi et Prix Nobel de littérature, a appelé, avec un léger sourire, « une sorte de héros officiel » dans l'Union européenne (qui en avait peu de cette consistance). Mais quoi ? D'autres ont survécu aux camps, y compris d'extermination – Antelme, Rousset, Primo Levi, Jean Cayrol. D'autres furent résistants et des plus braves, de Roger Vailland à Daniel Cordier. D'autres, plus jeunes et sous d'autres latitudes, furent des militants clandestins confrontés à leur tour à la torture et à la mort, et tous ceux-là aussi ont fait œuvre de mémoire. Oui, mais aucun ne l'a fait comme notre grand d'Espagne. Son accent est inimitable. L'autorité morale est une chose. La qualité d'un timbre en est une autre. Oublions un instant la première pour tenter de comprendre la seconde.

Le récit qui suit y prédispose mieux que tout autre. Ce soliloque peuplé de jaillissements fantomatiques, ce laisser-courre du songe chez un vieil homme affronté à des retours de flamme, comme à autant d'énigmes baroques, incompréhensibles, c'est à la fois un blason et un transparent. La griffe, la marque Semprun s'y trouve à l'état pur, et tout entière.

Mais encore ? Qu'est-ce qui n'est qu'à lui ?

Cette façon de marier l'intime avec le bruit et la fureur. Mémorialistes et chroniqueurs n'ont pas coutume d'entremêler tendresses, confidences et débâcles du corps à l'évocation de leurs hauts faits. Les romanciers, eux, c'est leur travail, depuis Fabrice à Waterloo. Semprun croise les rubriques et donne une dimension romanesque à l'événement réel. Il privatise l'Histoire tout en historisant sa vie. La mémoire, on le sait, est un drôle de réfrigérateur : elle fait fondre les grandes lignes et conserve les détails au frais. L'histoire-récit s'en distingue par son goût des synthèses et des équilibres. Elle brosse à grands traits panoramas et perspectives. Avec sa mosaïque en pointillé, Semprun annexe l'histoire à la mémoire – ce qui le distingue de Malraux, qui fait l'inverse. Pour le Conquérant adepte des voies royales et des fastueux survols, qui le prend de haut avec les faits, l'expérience vécue sert de tremplin à l'imaginaire. Pour le méticuleux qui creuse et fouille son vécu, sa *vivencia*, l'imagination est au service de la réalité, qu'elle reconstitue par bribes. Malraux tient son passé pour un acquis, Semprun, pour une question. Le premier transfigure, le second recompose. Et nous voyons un puzzle se mettre en place, par un interminable jeu de correspondances et de coïncidences. Qu'on pardonne le parallèle. Goûter, c'est comparer.

Cette façon aussi d'aller et venir entre le Lutetia d'aujourd'hui et le Lutetia de 1945. Entre le présent et l'imparfait de l'indicatif. Comme si rien n'était joué, comme si sa vie elle-même se rejouait à chaque inopiné retour de flamme, à chaque nouvelle résurgence de hasard, qui vient compléter le puzzle avec une pièce manquante. Comme si c'était toujours à la fin qu'on découvrait son début. «Soixante ans plus tard, je me suis souvenu…» Comme si, mais n'est-ce pas ainsi que les choses se passent, réellement, chez nous tous, l'on ne cessait d'arriver en retard dans sa propre vie. Ce tremblement perpétuel, inquiet, obstiné du souvenir confère un rare accent d'authenticité à l'inlassable quête d'exactitude.

Ce détachement ironique, cette façon un peu distante d'être à soi-même son Sphinx, sans lamento ni pathos. Le sujet s'interroge en tant qu'objet, sur un ton qui n'est pas celui du procureur ou de l'avocat mais du juge d'instruction raboutant les pièces, reprenant le dossier (J. S., matricule 44904). Nous n'avons pas ici un document ni un témoignage. (Le document serait monocorde, brut de décoffrage, sans relief, et le témoignage linéaire, trop sagement ordonné.) Nous avons une enquête. Et sous un apparent désordre, un dur travail de reconquête. Du souvenir sur l'oubli. D'un sens possible sur des incohérences. De la vie sur la mort.

Cette façon enfin qu'a le récit de tourner en rond dans le brouillard, de se faire litanie et mélopée en repassant par les mêmes lieux et les mêmes personnages, de tirer et retirer les mêmes tiroirs. C'est en fait une spirale parce que chaque digression fore plus profond, en vrillant. Au centre du tourbillon, Semprun, toujours lui. Oui, d'aucuns ont parlé d'obsession et de narcissisme. Mais regardons-y à deux fois. Si Semprun, la plupart du temps, reste le centre des histoires racontées par Semprun, ce centre est un carrefour d'anonymes ou d'inconnus, un rond-point qui nous fait rayonner, lui l'auteur et nous lecteurs avec lui, dans tous les azimuts. Comme si celui qui se cherche ne pouvait se trouver qu'en tombant sur d'autres, si l'enquêteur courant après lui-même devait, à peine parti dans ses souvenirs, bifurquer sur l'un, puis sur l'autre, et un troisième arrive, sans coup férir, au point qu'il finirait presque par s'égarer en route. On dirait un monologue que les interférences viendraient sans cesse interrompre et relancer, où chaque coupure, bizarrement, fait avancer. Sur cette mémoire-miroir, en somme, un vieil homme se penche à la recherche de son vrai visage, net et définitif, et voilà que d'autres, des dizaines de visages se bousculent dans le champ, le tirant à hue et à dia, jusqu'à le faire douter de lui-même. Cet orgueilleux, ce solitaire avait une foule d'hommes et de femmes derrière lui, en lui. Et nous la fait découvrir en se découvrant à nous. Quelle vie est en ligne droite? Aucune, mais la sienne, plus qu'aucune autre, a tant zigzagué à travers les époques, les pays, l'Europe, les pires souffrances humaines et nos plus insubmersibles rêves qu'à en suivre le trajet, plein d'à-coups et de surprises, c'est comme si l'on recueillait, l'espace d'une lecture, le meilleur de nous-mêmes.

Avertissement de l'éditeur

Exercices de survie est un texte inachevé. Jorge Semprun travaillait à sa rédaction quand la maladie l'a empêché de poursuivre son projet.

Lors des entretiens qu'il a eus avec Franck Apprederis pour la réalisation du documentaire *Empreintes : Jorge Semprun,* réalisé en 2010, il expliquait qu'il commençait un livre « conçu comme une suite » :

> Il serait difficile de tomber sur une période de ma vie où je ne travaille pas à quelque chose, parce que écrire fait partie de mes raisons de vivre, d'accepter la vie telle qu'elle est. Donc je suis en effet en train de travailler. Mais peut-être sur trop de projets à la fois. Deux sont fondamentaux : un « vrai » roman, enfin une histoire où tout serait vrai parce que j'aurais tout inventé, sauf l'histoire du XXᵉ siècle en arrière-plan. Et puis une réflexion, qui reprendrait les thèmes autobiographiques que j'ai déjà abordés, mais plus « systématiquement ». Ce livre serait conçu comme une suite. Il pourrait y avoir un, deux, trois, quatre, autant de volumes, sous le même titre : *Exercices de survie,* où je reconstruirais la vie, ma vie, en fonction du thème. La première partie est pratiquement prête et porte sur l'expérience de la Résistance, et ma jeunesse. Le thème sur lequel elle s'articule est un thème dont j'ai très peu parlé

mais que j'aborde là autant par l'expérience vécue que par la réflexion : c'est la torture.

Voici le premier volet de cet ensemble, de ce «livre interminable» comme le qualifiait Jorge Semprun.

Exercices de survie

I

… comparant tout sans le vouloir à la torture…

ARAGON
Chanson pour oublier Dachau

J'étais dans la pénombre lambrissée, discrètement propice, du bar du Lutetia, quasiment désert. Mais ce n'était pas l'heure ; je veux dire, l'heure d'y être en foule, l'heure d'y être attendu ou d'y attendre quelqu'un. D'ailleurs, je n'attendais personne. J'y étais entré pour évoquer à l'aise quelques fantômes du passé. Dont le mien, probablement : jeune fantôme disponible du vieil écrivain que j'étais devenu.

La vieillesse, bien sûr, la finitude, étaient prévisibles, inscrites d'emblée dans la banalité placide ou funeste du cours des choses. Aucune surprise d'y être enfin parvenu, aucun mérite non plus. Un peu de lassitude, parfois, c'est vrai. De l'étonnement aussi, allègre à l'occasion, excitant, ou bien, selon le cas, tout au contraire, agacé, mélancolique, d'avoir manqué tant d'occasions de mourir jeune.

Écrivain, pourtant ? Était-ce tellement évident à l'heure lointaine que j'évoquais ? Je me trouvais plutôt, à l'époque, devant l'impossibilité radicale, l'indécence même de l'écriture.

Donc, j'étais au bar du Lutetia, je n'attendais personne.

J'avais tout juste le désir d'éprouver mon existence, de la mettre à l'épreuve.

Jadis, le Lutetia était un lieu à éviter.

Je parle des temps de l'Occupation, bien évidemment. Et le Lutetia n'était pas le seul lieu à éviter, certes. Il y en avait d'autres, nombreux, dans la topographie parisienne.

Des hôtels, souvent. Ainsi, le Majestic, avenue Kléber.

En 1943, l'année de mes vingt ans, au début de cette année-là, il m'arrivait de parcourir ce quartier. Je revenais de l'avenue Niel, par exemple, pour reprendre le métro à Étoile, ou plutôt à quelque autre station des environs. Il fallait si possible éviter Étoile, il y avait là plus souvent qu'ailleurs des contrôles d'identité. Ou bien je sortais de l'une de ces stations et je marchais vers l'avenue Niel. Parfois, si le temps était beau et l'humeur enjouée, je roulais à bicyclette. Dans ce cas, au retour, vers mon quartier du Panthéon, à l'aller aussi, j'évitais le Majestic, l'avenue Kléber.

Mais quel que fût le moyen de locomotion, à la fin, quelques centaines de mètres de feinte flânerie suffisaient pour m'assurer de n'être pas suivi. Car j'allais retrouver Henri Frager, «Paul», le patron de Jean-Marie Action, mon réseau Buckmaster. Ou bien je venais de le quitter, d'avoir eu rendez-vous avec lui.

Il fallait l'attendre, un certain jour de la semaine, à une certaine heure de la matinée, sur le trottoir des numéros impairs de l'avenue Niel, précisément entre le un et le sept, en face des Magasins Réunis, aujourd'hui la FNAC.

S'il était seul, il s'arrêtait, je lui parlais, on expédiait la question à régler, qui pouvait être toute simple : mission accomplie dont il fallait lui rendre compte succinctement ; mission à accomplir dont il m'exposait les grandes lignes : les détails suivraient, communiqués par d'autres voies.

Des questions comme ça, banales.

Si « Paul » n'était pas seul, je les laissais passer, lui et son compagnon, ou sa compagne. Il fallait continuer, dépasser le point de croisement de quelques dizaines de mètres, revenir ensuite lentement sur mes pas.

Ce n'était pas d'une prudence extrême. Un œil aux aguets, ou simplement curieux des mouvements de la rue, aurait pu remarquer ce manège, ces va-et-vient, ces changements d'interlocuteur autour du même personnage. Mais la prudence extrême aurait rendu les choses trop difficiles, trop compliquées à organiser. La prudence extrême n'était pas notre fort, à l'époque. L'histoire de la Résistance abonde en exemples de cette assertion, souvent dramatiques, parfois cocasses.

De toute façon, la prudence extrême aurait conseillé de ne rien faire, d'attendre des jours meilleurs.

Parfois il s'avérait nécessaire de prolonger l'entretien, la question à régler ou à débattre étant plus complexe ou plus épineuse. On allait prendre un verre dans quelque bistrot des environs, choisi par Frager. C'est lui qui décidait toujours de la marche à suivre.

Ce jour-là, au bar du Lutetia, délibérément à la recherche de moi-même, je me souvins de l'une des premières fois où j'avais rencontré Frager, au début de mon travail pour Jean-Marie Action. Il m'avait conduit jusqu'à un immeuble cossu, vers la porte des Ternes. Il m'avait dit à quel étage sonner, dix minutes après sa propre entrée, quel nom de locataire dire à la concierge, le cas échéant, quel mot de passe à la jeune femme qui m'ouvrirait la porte de l'appartement.

J'avais flâné dans ce beau quartier. Sans librairies malheureusement, ça rallongeait les minutes. Je n'avais eu à dire aucun nom, nulle concierge ne s'étant préoccupée de ma présence. J'avais, en revanche, distinctement donné le mot de passe à une jeune femme blonde. Elle m'avait fait entrer dans une pièce vide. Il était facile de deviner que c'était le salon d'attente d'un médecin au sommet de sa carrière : le nombre et la disposition des sièges confortables ; les revues sur une table ; les bronzes animaliers sur des consoles ; quelques tableaux aux murs, inintéressants de mon point de vue, mais sans doute coûteux, peut-être même cotés ; des tapis de haute laine, ainsi de suite.

Mais Henri Frager est entré et a demandé à la jeune femme de rester avec nous. Puis un autre type a fait son apparition, s'est assis sans mot dire.

Celui-là, je le connaissais de vue. Je l'avais remarqué plusieurs fois dans les alentours de Frager, avenue Niel. Sans doute un membre du réseau assurant la protection rapprochée de notre chef. Un type jeune, très blond, très beau : grande allure. Ses vestons de tweed, quoique élimés, sortaient visiblement de chez les meilleurs faiseurs. Je m'étais parfois demandé quelle arme il portait sur lui, où il la cachait.

Quelques mois plus tard, à l'occasion d'un voyage entre Montbard et Auxerre, après un parachutage, nous avions passé quelques heures ensemble, échangé des bribes de confidences. L'hiver, il portait sous son trench une mitraillette Sten, débarrassée de sa crosse mobile ; l'été, sous l'aisselle, une arme de poing, un automatique neuf millimètres.

Il a souri alors, complice et supérieur à la fois, me faisant comprendre en deux mots qu'il en savait sur moi bien davantage que moi sur lui.

Ce qui était facile, je ne savais vraiment rien de lui.

– Un très beau pistolet Astra, m'a-t-il dit, qui vient d'Espagne, tout comme vous!

J'ai hoché la tête affirmativement.

– Qui vient d'Eibar, en effet, lui ai-je répondu, au Pays basque. C'est la première ville où la République a été proclamée, après les élections municipales d'avril 1931, qui ont tourné au plébiscite contre la monarchie.

Il m'a toisé, faisant la moue.

– La République n'est pas ma confiture préférée! a-t-il proclamé.

Je lui ai répondu que ça ne me surprenait pas.

Il s'est étonné de ma remarque. Mais pourquoi? Quelle raison? C'était difficile à cerner rationnellement, lui ai-je dit : une sorte d'intuition.

– Vous avez plutôt l'allure d'un lecteur de Joseph de Maistre ou de Maurras… Au mieux de Bernanos! En poésie, d'un fervent de Patrice de La Tour du Pin!

C'était assez méchant de lui parler de ce poète. Dans mon esprit, il incarnait un maniérisme aussi chic que désuet. Mais il avait éclaté de rire, d'un vrai fou rire débridé, libéré. Qui s'arrêta soudain. Il se permit alors un geste amical de sa main droite sur mon épaule. Il récita ensuite, plutôt bien d'ailleurs, sans emphase.

Cette odeur sur les pieds de narcisse et de menthe, /Parce qu'ils ont foulé dans leur course légère/Fraîches écloses, les fleurs des nuits printanières, / Remplira tout mon cœur de ses vagues dormantes…

Il s'est interrompu après ce premier quatrain, m'a regardé, me mettant au défi, sans doute.

– *Laurence endormie,* lui dis-je.

J'eus l'impression qu'il était surpris, peut-être même agacé.

Cela m'était égal, je poursuivis à mon tour la récitation.

Et peut-être très loin sur ses jambes polies, / Tremblant de la caresse encor de l'herbe haute, / Ce parfum végétal qui monte, lorsque j'ôte / Tes bas éclaboussés de rosée et de pluie…

Il rit, toujours surpris, mais visiblement heureux désormais.

– Ma fiancée s'appelle Laurence, me dit-il.

La jeune fille de la Comédie-Française s'appelait Laurence, elle aussi.

On y jouait *Bérénice,* ce soir-là, au printemps 1943, quelque temps avant le voyage dont je parle, entre Auxerre et Montbard. Elle était assise à l'orchestre, deux rangs devant moi, légèrement sur ma gauche. Elle a tourné vers moi son visage lorsque l'actrice qui jouait Bérénice – et qui avait largement dépassé l'âge du rôle, mais récitait superbement l'alexandrin – a dit quelques-uns des plus beaux vers d'amour de la langue française.

Laurence, à cet instant, puisque Laurence il y aurait, avait le regard le plus candide et le plus prometteur qui se puisse imaginer : un prodige d'innocence et de trouble féminité.

Troublante, je veux dire.

Ensuite, au gré des strophes les plus déchirantes de

Bérénice, à leur lumière, nous avions échangé des coups d'œil jusqu'à la fin de la représentation, comme on échange du vin, des livres et des roses, ou bien, tout au contraire, la solitude, une mort, le désespoir.

Je l'avais attendue à la sortie, elle n'en fut pas étonnée. Bref, elle a bien voulu que je la raccompagne.

Mais je n'avais pas raconté la suite de cette histoire à «Tancrède» – quel pseudonyme, grands dieux, révélateur! – cette fois-là, l'été 43, entre Auxerre et Montbard, et je ne vais pas non plus la raconter tout de suite.

De toute façon, le sujet dont nous avions à discuter, lui et moi, était plus important, du moins dans l'ordre de l'histoire en cours, que l'évocation de Laurence : nos deux Laurence, d'ailleurs, sa fiancée, ma jolie compagne d'une saison. Plus important, plus urgent que le souvenir de cette soirée, après la Comédie-Française, où ma Laurence à moi avait décidé de réinventer l'amour courtois.

À mes dépens, s'il faut tout dire.

Mon différend avec «Tancrède» concernait, en effet, les parachutages d'armes. Ou plutôt, le destin ultérieur des armes parachutées par les Britanniques pour Jean-Marie Action. Nous étions quelques-uns à penser que les containers livrés par nos soins, sur les indications de Londres, aux chefs de l'Armée secrète, et stockés par ceux-ci, tombaient trop souvent entre les mains de la Gestapo, de la Feldgendarmerie, avant même d'avoir servi à quoi que ce fût d'utile.

Nous étions quelques-uns à proposer qu'on livrât, une partie du moins, des armes et des explosifs aux groupes des FTP, lesquels ne les laisseraient sûrement pas rouiller dans les dépôts clandestins. Cela soulevait des problèmes politiques, on peut l'imaginer.

Des années plus tard, décennies plutôt, à Autheuil-sur-Eure, lors d'un week-end que nous passions chez Montand et Signoret, Simone nous a annoncé que les Dewavrin viendraient déjeuner le lendemain dimanche. Elle a demandé aux plus jeunes de la maisonnée, avec un sourire dans la voix, de n'être pas trop cradingues et de bien se tenir à table.

Dewavrin, c'était «Passy», bien sûr, le colonel Passy, ancien chef du BCRA de la France libre.

– Tiens! m'étais-je exclamé. Je pourrai lui demander pourquoi les armes des parachutages, en 1943, dans l'Yonne et la Côte-d'Or, n'étaient pas distribuées aux groupes qui se battaient vraiment, pourquoi elles rouillaient dans les dépôts de l'AS, que la Gestapo découvrait l'un après l'autre!

En septembre 43, en effet, quand j'ai été arrêté, les Allemands possédaient tous des mitraillettes Sten piquées dans nos dépôts, et qui étaient bien plus maniables que les lourds machins de leur propre armée.

Une discussion s'est ensuivie. Les jeunes qui étaient attablés avec nous lors de ce dîner à Autheuil-sur-Eure – Catherine Allégret, Jean-Claude Dauphin, Dominique Martinet, Claude Landman, Jean-Pierre Castaldi, Alain Dhénaut, Jean-Louis Livi, je crois me souvenir – ont posé des questions, demandé des explications. Tout le reste de la soirée s'est passé à évoquer pour eux l'époque de la Résistance.

Le lendemain, donc, les Dewavrin étaient là, partageant le repas familial : Simone avait demandé à Marcelle de mettre les petits plats dans les grands. Une fois que la conversation générale eut atteint un rythme de croisière de bon aloi, Simone déclara tout à coup, avec le regard gourmand qui accompagnait souvent ses questions les plus assassines :

– Dites-moi, colonel, mon copain Semprun voudrait bien savoir pourquoi, en 43, les armes que vous parachutiez n'étaient jamais distribuées aux FTP communistes ?

« Passy » ne s'est pas démonté, pas du tout. Avec une courtoisie parfaite, il m'a d'abord demandé avec qui j'avais travaillé dans la Résistance. Renseigné sur ce point et en partie rassuré – en partie seulement, car Jean-Marie Action n'était pas une organisation suspecte de sympathies communistes, certes non !, mais d'un autre côté, en tant que réseau Buckmaster, elle avait forcément été en concurrence avec le BCRA gaulliste, puisqu'elle dépendait directement des services britanniques du War Office –, « Passy » avait admis et assumé qu'en 1943, en effet, il donnait à ses agents l'ordre d'empêcher au maximum la livraison d'armes aux FTP.

Jusqu'en 1944, disait-il, jusqu'au voyage de De Gaulle à Moscou, jusqu'au retour de Thorez de cet exil-là, de cette impunité-là, lorsque ce dernier imposa à son parti, sur le conseil de Staline – qui était un ordre –, le désarmement des milices dites patriotiques, ils avaient pensé, eux, les gaullistes, et de Gaulle au premier chef – c'est le cas de le dire ! – que le PC aurait à la Libération une politique beaucoup plus radicale, une sorte de stratégie de « double pouvoir ». Dans la conjoncture historique du vide provisoire, après le départ des troupes d'occupation allemandes et dans l'incertitude créée par les divergences alliées au sujet de l'administration de la France libérée, on pouvait s'attendre à une tentative de coup de force.

Des décennies plus tard, la discussion avec le colonel « Passy » avait été historique et courtoise, l'un entraînant l'autre, bien entendu. D'ailleurs, on pouvait aisément comprendre, rétrospectivement, les inquiétudes gaullistes de l'époque de la Libération, au vu et au vécu de l'expérience historique en Europe centrale.

Mais en 1943, entre Auxerre et Montbard, après une tournée d'inspection sur le terrain, après que j'eus expliqué à « Tancrède » le triste sort de la plupart des armes stockées par l'Armée secrète en prévision du jour du débarquement, notre discussion avait eu une tout autre dimension.

Elle ne fut pas détendue, c'est le moins qu'on puisse dire.

Il est vrai que ce lieutenant de Frager, courageux, cultivé, charmeur – à la folie, tout ça! – n'était pas un républicain convaincu, si on m'autorise l'usage de la litote. La République n'était pas, en effet, sa « confiture préférée », comme il l'avait lui-même déclaré. Paradoxalement, du moins à première ou courte vue, il n'appréciait dans la Révolution française que son moment jacobin, le moment, donc, de l'extrémisme unitaire, centralisateur, de la Révolution, si aisément transformé, travesti, ensuite, en affirmation nationalitaire et autoritaire : impériale, d'abord, coloniale, plus tard.

Quoi qu'il en soit, « Tancrède » entrait dans le salon cossu de l'avenue des Ternes, ce jour où Henri Frager avait éprouvé le besoin d'une entrevue inhabituelle avec moi.

J'étais curieux, d'ailleurs, d'en savoir l'objet.

Je fus aussitôt fixé : il n'y eut pas vraiment de préambule, d'entrée en matière prudente ou détournée.

– Savez-vous ce qui vous attend, Gérard, si vous êtes arrêté par la Gestapo ? Y avez-vous déjà pensé ?

La question de Frager, abrupte, ne me prenait pas au dépourvu. Je veux dire : je ne m'y attendais pas du tout, certes, ce matin-là, sous cette forme, mais j'avais déjà réfléchi à cette question. Je savais bien que j'avais toutes les chances d'être torturé, en cas d'arrestation par la Gestapo, que ce fût l'allemande ou la française. Dans nos conversations, d'ailleurs, nous craignions davantage la française que l'allemande. De tous les lieux à éviter dans Paris, le plus redoutable, en effet, semblait être la rue Lauriston, où officiait la Gestapo française de Bonny et Lafont.

– Je sais ce qui m'attend, Paul, avais-je répondu à Frager. Je m'attends à être interrogé, c'est-à-dire torturé !

Il avait hoché la tête, satisfait de pouvoir éviter les préambules, les détours, les circonlocutions : nous entrions d'emblée dans le vif du sujet !

Torture, interrogatoire : j'en avais déjà parlé avec les responsables de la MOI qui m'avaient «recadré», à l'époque où une vague d'arrestations avait coupé mes premiers contacts avec l'organisation clandestine du PC espagnol à Paris.

J'en avais parlé avec «Bruno», avec «Koba».

Avec «Julia», à dire vrai, le mot *torture* n'avait pas été prononcé. Nous avions parlé de la mort, plus simplement. Mais «Julia» était une femme, une jeune femme aux yeux clairs. Belle, tendre aussi, sans doute, à l'occasion : c'était imaginable. Il lui était plus facile, si j'ose dire, d'évoquer la pure radicalité de la mort, cette réalité absolue, plutôt que la souffrance bestiale d'un corps torturé.

Dans ma mémoire, les conversations avec «Bruno», avec «Koba», à propos de la torture, sont associées au paysage du parc Montsouris. Il faut croire que les responsables de la MOI – ceux à qui j'avais affaire, du moins – avaient des planques dans ce quartier. En tout cas, mes rendez-vous étaient toujours fixés au parc Montsouris. Ce n'était pas désagréable, car la période desdites rencontres fut estivale, entre la rupture des contacts à peine ébauchés avec le PC espagnol et mon arrivée chez Frager, à Jean-Marie Action.

Ainsi, il y a presque toujours du soleil, dans mes souvenirs de la MOI. Du soleil et de la verdure des gazons, des feuillages éclatants.

Mais Frager avait donné la parole à «Tancrède».

C'est ce jour-là que j'appris ce pseudo prétentieux. Justifié pourtant, d'un certain point de vue : mon «Tancrède» se prenait vraiment pour un chevalier des Croisades !

Puisque je ne doutais pas d'être torturé, le cas échéant, il me fit savoir à quoi je pouvais m'attendre. Il me tint, en quelque sorte, un discours pédagogique, qui recensait de façon exhaustive les méthodes habituelles de la Gestapo : matraquage, pendaison par une corde attachée aux menottes, privation de sommeil, baignoire, arrachement des ongles, électricité, *in crescendo.*

C'était un discours abstrait; assez terrifiant, mais abstrait.

Ainsi, *matraque,* dans le discours de «Tancrède», était un mot très précis, mais dépourvu de forme, d'existence consistante. Je ne pouvais pas encore faire la différence entre les divers possibles de réalité que ce mot désignait vaguement, de façon trop générique.

Car il y avait les matraques en bois poli, policier, simples gourdins; les nerfs de bœuf; les matraques en caoutchouc, parfois lestées de plomb : celles-ci étant, je l'apprendrai plus tard, les préférées des sous-officiers SS de Buchenwald, les fameuses *Gummi*; mais aussi les matraques britanniques, parachutées dans les containers d'armes, très utiles instruments en acier mat, qu'il fallait déplier, déployer, faciles à manier dans le silence de la nuit pour assommer les sentinelles de la Wehrmacht qui gardaient les écluses du canal de Bourgogne qu'on allait faire sauter; matraques anglaises trouvées par la Gestapo dans les dépôts de la passive Armée secrète, et retournées contre nous.

Matraque, donc, dans la bouche de «Tancrède», avait été, dans son exhaustive énumération, un mot à la fois clair et indistinct : nous étions encore dans le domaine de l'idéalisme objectif!

Plus tard, à Auxerre, dans la ville de la Gestapo, mots et choses devinrent plus concrets. J'appris très vite à distinguer la réalité matérielle des différentes sortes de matraque. La douleur qu'elles provoquaient était, en effet, bien différenciée, singulière. C'est à l'aune de chaque douleur que je pouvais établir, sans hésiter, à quel genre j'avais affaire.

La douleur sèche, fulgurante, mais peu persistante, plus volatile, de la matraque en bois n'était pas comparable à la douleur assourdie, plus supportable à l'impact, mais bien plus profonde et durable, de la matraque en caoutchouc, surtout quand il ne s'agissait pas d'un simple nerf de bœuf et qu'elle était lestée de plomb.

Sans doute vaut-il toujours mieux savoir à quoi s'en tenir, à quoi s'attendre. Il vaut mieux savoir, sans doute, ne pas se faire d'illusions. Mais ça ne résout pas l'essentiel, car le corps, lui, ne sait pas. Le corps ne peut pas avoir l'expérience anticipée, *a priori*, de la torture. Même le corps qui a connu la faim, la misère, n'a pas cette expérience, ne peut pas anticiper charnellement cette expérience : la torture est imprévisible, imprédictible, dans ses effets, ses ravages, ses conséquences sur l'identité corporelle.

Nul ne peut prévoir ni se prémunir contre une possible révolte de son corps sous la torture, exigeant benoîtement – bestialement – de votre âme, de votre volonté, de votre idéal du Moi, une capitulation sans conditions : honteuse, mais humaine, trop humaine.

Ce qui est inhumain, alors, surhumain, en tout cas, c'est d'imposer à son corps une résistance sans fin à l'infinie souffrance. D'imposer à son corps, qui n'aspire qu'à la vie, même dévalorisée, misérable, même traversée de souvenirs humiliants, la perspective lisse et glaciale de la mort.

La résistance à la torture, même si elle est défaite en fin de compte – et quel qu'en soit le compte : en heures, en jours, en semaines –, est tout entière pétrie d'une volonté inhumaine, surhumaine, plutôt, de dépassement, de transcendance. Pour qu'elle ait un sens, une fécondité, il faut postuler, dans la solitude abominable du supplice, un audelà de l'idéal du Nous, une histoire commune à prolonger, à reconstruire, à inventer sans cesse.

La continuité historique de l'espèce, dans ce qu'elle recèle d'humanité possible, sur le mode de la fraternité : ni plus ni moins.

Ainsi, lorsque «Tancrède» s'arrêta de parler, je savais presque tout des méthodes de la Gestapo, je savais quelle épreuve m'attendait, mais je n'imaginais toujours pas à quel titre cette expérience pourrait m'atteindre, peut-être même me changer. Ou me détruire.

On ne peut pas savoir d'avance.

– Dites-moi, Gérard, le topo de « Tancrède », sa description des méthodes de la Gestapo, vous vous souvenez, ça vous a été utile ?

C'est Henri Frager, « Paul », qui me posait la question, un dimanche, à l'automne 1944, à Buchenwald, un an plus tard.

C'était après l'appel de midi, dans la baraque de l'*Arbeitsstatistik*. Je lui avais offert du café, enfin, ce breuvage qu'on appelait café pour la commodité de la conversation, mais qui était chaud, c'était son principal mérite, et sucré, saccharinée plutôt.

Quelques semaines auparavant, ici même, à la longue table du fichier central, j'avais levé la tête. Willi Seifert, le kapo de l'*Arbeit*, s'approchait de moi. Derrière lui, le soleil se réverbérait sur les vitres de la baraque. La fumée du crématoire tout proche était également visible : grise et légère, ce jour-là. Seifert m'apportait une communication spéciale de la *Politische Abteilung*, autrement dit, de l'antenne de la Gestapo à Buchenwald.

C'était une liste de nouveaux arrivés, une trentaine de détenus dûment numérotés, qui devaient être affectés à un block spécial d'isolement.

J'avais la liste sous les yeux, il y avait du soleil, la fumée du crématoire était légère. La plupart des nouveaux arrivés étaient français, mais il y avait aussi parmi eux quelques noms britanniques.

Ce simple détail, ajouté au fait du traitement spécifique

auquel ils étaient voués – isolément, attention particulière de la Gestapo –, laissait entendre que cette trentaine d'hommes étaient sans doute des personnalités de la Résistance, probablement des chefs de réseaux alliés de renseignement et d'action.

Alors, au milieu de la liste, un nom m'a sauté aux yeux : Henri Frager, architecte. Soudain, je me suis souvenu qu'un jour – peut-être celui-là même où «Paul» m'avait conduit dans un immeuble cossu de la porte des Ternes – quelqu'un l'avait appelé «Henri», devant moi. Était-ce la jeune femme blonde qui m'avait ouvert la porte? Était-ce «Tancrède»? En tout cas, quelqu'un avait laissé échapper ce prénom. Et puis, et là j'étais sûr de ma source, «Tancrède» m'avait fait savoir, lors de notre périple en Bourgogne, après le parachutage, que «Paul» était architecte.

J'avais inscrit sur les cartes du fichier central tous ces noms nouveaux. J'avais écrit «Frager, Henri, architecte». J'avais écrit également le nom de Stéphane Hessel, même si je ne m'en souviens pas. J'avais forcément écrit le nom de Hessel puisqu'il était sur la fameuse liste. D'ailleurs, Stéphane Hessel a écrit dans un livre de souvenirs l'histoire de ce groupe de déportés.

C'est une histoire qu'il a vécue : personne ne peut la raconter mieux que lui. J'ajouterai seulement mon grain de sel, mon expérience vécue : tel Fabrice à Waterloo, en somme.

Par les camarades allemands, j'eus d'abord confirmation de la qualité des nouveaux arrivés. C'étaient bien des chefs de réseau. Tous avaient joué un rôle de premier plan dans la Résistance. Mais les intentions de la Gestapo à leur égard n'étaient pas claires. Pourquoi n'avaient-ils pas été fusillés ? Pourquoi les gardait-on ensemble, isolés des autres déportés ? Étaient-ils considérés comme des otages, comme une possible monnaie d'échange avec Londres ?

Toujours est-il – c'est encore un communiste allemand de l'organisation d'autodéfense clandestine qui m'en informa – que dans l'incertitude sur le sort qui leur était réservé, les chefs de réseau résistants avaient, lors d'une discussion suivie d'un vote, choisi ceux d'entre eux qu'il fallait essayer de sauver à tout prix. Ceux-là, trois ou quatre si mes souvenirs sont exacts – Stéphane Hessel, en tout cas, et Yeo-Thomas, un officier britannique de la Royal Air Force –, furent déclarés morts administrativement, mais survécurent sous l'identité d'autant de vrais cadavres de ces jours-là. Cette opération d'échange d'identités entre vrais et faux morts, déjà difficile et risquée à n'importe quel moment, pour n'importe quel déporté, devenait quasiment impossible, en théorie, dans le cas de détenus particulièrement surveillés, comme ils l'étaient, dans un block d'isolement.

Ce tour de force fut pourtant réussi par l'organisation clandestine allemande, dirigée par les communistes, mais avec l'intervention décisive, cette fois-là, d'Eugen Kogon, un déporté chrétien-démocrate qui occupait le poste stratégique de secrétaire du médecin-chef de Buchenwald, l'officier supérieur SS Ding Schüler, qu'il parvenait parfois – surtout depuis que la probabilité d'une victoire alliée augmentait de façon irréversible –, mais toujours au risque de sa vie, à amadouer, convaincre ou manipuler.

Peu à peu, cependant, pour des raisons qui nous demeurèrent obscures, les détenus de la liste spéciale, maintenus jusque-là en isolement, furent envoyés dans différents blocks du Grand Camp, et affectés à des kommandos de travail.

Ainsi, un jour j'eus à transcrire dans le fichier central une nouvelle note de la *Politische Abteilung*. Le déporté Henri Frager était affecté au block 42. Le soir même, après l'appel, je me présentais devant lui. Malgré ses cheveux ras et ses hardes disparates, je reconnus « Paul » immédiatement. Il me regardait dans les yeux, il était évident qu'il se méfiait. Jamais il n'avait porté le pseudonyme de « Paul ». Il le nia catégoriquement. Non, il ne connaissait pas ce message de Londres, « les meubles de Paul arriveront ce soir ». Il ne savait pas que ça annonçait des parachutages. D'ailleurs, pourquoi aurait-il écouté Radio Londres ? Bref, il fallut lui donner beaucoup plus de détails, lui parler de l'avenue Niel, du trottoir en face des Magasins Réunis, de « Tancrède ».

Alors, soudain son visage s'éclaira, il s'exclama :

– Gérard, vous êtes Gérard !

J'étais Gérard, en effet.

Mais son visage redevint grave.

– « Tancrède » est mort, me dit-il.

Et il ajouta :

– Héroïquement !

Rien ne m'étonnait. Ni qu'il fût mort, ni surtout que cette mort eû été héroïque.

Dans la bruyante promiscuité du block 42, juste avant les coups de sifflet des *Lagerschutz* annonçant le couvre-feu, Frager me raconta la mort de « Tancrède ».

Quelques jours plus tard, un dimanche après-midi, nous étions dans la baraque de l'*Arbeitsstatistik*. Il me demandait si la description de «Tancrède» m'avait servi à quelque chose.

Oui, d'un certain point de vue. Je savais en effet à quoi m'attendre, à quoi m'en tenir, grâce à sa minutieuse énumération. C'est toujours utile de savoir à quoi s'attendre. Mais c'était aussi un savoir abstrait, lui disais-je.

– De toute façon, commentait Frager, même sans connaître le détail de votre passage chez la Gestapo, j'en connais le résultat : personne n'a été arrêté à cause de vous, on n'a rien dû changer, ni les boîtes aux lettres, ni le système des rendez-vous de repêchage, ni les caches d'armes ! Impeccable, Gérard !

J'ai bien aimé qu'il le dise ainsi, sobrement, sur le ton d'un énoncé, sans pathos ni grandiloquence.

Mais ça nous a fait penser à la même chose.

– Et Alain ? ai-je demandé.

– J'allais justement vous en parler…

Il garde le silence, ferme les yeux, les rouvre, me regarde.

– Nous avons été obligés de l'exécuter !

Alain était l'un des chefs régionaux de Jean-Marie Action, c'est lui qui contrôlait le territoire où nous travaillions, Michel H. et moi. Et nous étions arrivés à la conviction qu'Alain était un traître. Infiltré dans le réseau depuis le début ? Arrêté par la Gestapo et retourné, à une date plus récente ? Agent double ? Quelle que fût l'incertitude sur le détail, un faisceau de signes convergents nous avait mis en garde, depuis quelque temps. Michel H. en avait déjà parlé avec «Paul», qui avait pris certaines mesures élémentaires de précaution mais hésitait encore à croire tout à fait à l'incroyable suspicion. Et puis, les dernières semaines avant mon arrestation, les preuves s'étaient soudain accumulées. Nous avions, en effet, réparti les derniers parachutages britanniques entre cinq dépôts de l'Armée secrète. Deux d'entre eux avaient été aussitôt découverts par la Gestapo : ceux dont s'était occupé Alain, lui tout seul. Les trois autres, dont Michel H. s'était occupé, avec mon aide, demeuraient sains et saufs. Ça pouvait être un hasard, certes : une chance sur mille, peut-être, et encore !

– Je l'ai abattu moi-même, murmure Frager.

Et il ajoute, en hochant la tête :

– Je me demande si ce n'est pas lui qui a donné la maison d'Irène Chiot, à Joigny, où vous avez été arrêté…

Il m'était arrivé de me poser la même question.

– Pas de chance, Gérard, m'avait dit Irène d'une voix douce et calme, nous avons la visite de la Gestapo !

C'était un an plus tôt, en septembre 1943, à Joigny. Dans le faubourg d'Épizy, plutôt, sur le chemin de halage.

La maison d'Irène Chiot était une ancienne ferme, avec plusieurs corps de bâtiment entourant une cour herbeuse. Il était midi, plus ou moins. L'avant-veille, on avait fait sauter un train de munitions de la Wehrmacht, à Pontigny, et l'un des gars de notre équipe avait disparu. J'étais allé à Laroche-Migennes où nous avions des appuis : planques, boîtes aux lettres, groupe de choc bien armé. Mais Georges V. demeurait introuvable, il n'y eut aucune possibilité de renouer le contact. Certains indices laissaient même craindre qu'il eût été arrêté. Revenu à Épizy, à l'aube, après une nuit blanche, j'avais somnolé quelques heures, dans la chambre que j'occupais habituellement.

Il était donc midi, plus ou moins, je me réveillais, la

bouche pâteuse. J'ai pensé à Georges V., disparu. Je me suis dirigé à travers la cour vers le bâtiment où se trouvait la cuisine : il fallait qu'Irène me prépare un café.

Mais voilà : nous avions la visite de la Gestapo.

J'ai entendu la voix d'Irène et j'ai vu un type à son côté, devant moi, en imperméable, qui avait gardé son chapeau sur la tête. Il a fait une sorte de grimace, en me voyant entrer, qui a découvert plein de dents en or dans sa bouche. Plus loin, une jeune femme, l'air terrifié. Mais j'ai senti une autre présence, plus proche, sur ma droite, un peu en arrière. Je me suis tourné vers celui-là, d'instinct, tout en essayant d'extraire rapidement le revolver que j'avais glissé dans ma ceinture, à mon réveil.

Le regard d'Irène fut plein d'espoir, d'encouragement aussi. Sans doute était-elle ravie de voir que j'essayais de me défendre. Peut-être a-t-elle même espéré que je réussirais, que je parviendrais à nous sortir de ce piège, en tirant le premier.

Mais le putain de revolver dont j'étais armé, ce jour-là, n'était pas mon 11.45 habituel. C'était un revolver canadien dont on venait de nous parachuter quelques dizaines d'exemplaires et que je voulais mettre à l'essai, justement. Or ce putain de revolver nouveau avait un barillet plus volumineux, moins lisse que celui de mon Smith and Wesson habituel.

Je n'ai pas réussi à l'extraire, à l'empoigner, le barillet restait accroché à ma ceinture de cuir.

Le type vers lequel je m'étais tourné avait déjà son pistolet à la main, un gros automatique neuf millimètres, à première vue. Pendant une fraction de seconde, je me suis évadé de la réalité, il m'a semblé voir la scène comme si j'étais au cinéma. J'étais au cinéma, je voyais un film policier et ce type-là, devant moi, allait tirer, allait appuyer sur la gâchette de son Parabellum.

Je regardais la scène de ce film policier et je pensais que le pauvre jeune homme n'allait pas s'en sortir : six balles dans le bide, adieu la vie ! Mais non, il se passa quelque chose d'imprévu. Au moment même où je réussissais à décoincer le barillet de mon revolver, le type de la Gestapo, au lieu de tirer, retournait son lourd automatique, l'empoignait par le canon et me frappait le crâne de toutes ses forces.

Bon réflexe professionnel, sans doute. Un mort ne parle pas, en effet, et ils avaient bien l'intention de me faire parler.

En tout cas, j'avais le visage couvert de sang, je ne voyais plus rien. Je me suis effondré sur les genoux.

Alors les deux types de la Gestapo – celui qui avait gardé son chapeau sur la tête, c'était le chef régional de la police allemande, le Dr Haas ; l'autre, l'un de ses adjoints, ai-je appris plus tard – ont profité de la situation pour me bourrer de coups de pied. Ils se défoulaient ainsi, rétrospectivement, de la peur qu'ils avaient eue, à voir surgir cet escogriffe armé. La jeune femme allemande, l'interprète, quant à elle, n'arrêtait pas de pousser des petits cris pleurnichards et de réclamer une tasse de tilleul. À qui, bon sang ? Qui aurait pu lui apporter de la tisane ? Ça me faisait presque rire, ce mot qui revenait sans cesse dans sa bouche, *Lindenblütentee* : un mot tellement exquis, délicat, musical, dans un tel contexte !

Quand ils se furent soulagés de leur peur rétrospective,

à force de coups de pied, les types de la Gestapo entre-
prirent de me fouiller.

Or ce jour-là – et ce fut ma deuxième chance, la première ayant été le réflexe professionnel qui avait amené
le gestapiste à m'assommer, plutôt qu'à me tirer dessus
pour me descendre –, ce jour-là je portais sur moi mes vrais
papiers d'identité : une carte de séjour française, valable
un an, parfaitement en règle, où figurait mon domicile
légal, chez ma famille, 47, rue Auguste-Rey, à Gros-Noyer-
Saint-Prix (Seine-et-Oise), ainsi qu'un certificat du consulat général d'Espagne à Paris, attestant de ma nationalité.

La MOI, en effet, avait transmis depuis longtemps des
instructions précises : tous les militants qui en auraient la
possibilité devaient s'inscrire dans les consulats franquistes,
pour bénéficier de la nationalité espagnole et mieux proté-
ger ainsi leur travail clandestin.

J'avais dix-neuf ans, un nom de famille plutôt célèbre,
pas de casier judiciaire ni politique, je n'eus donc aucune
difficulté pour obtenir mon accréditation consulaire. Cette
année-là, en 1943, pour mes vingt ans, je m'étais même
présenté au conseil de révision de ma classe d'âge et j'avais
très officiellement été exempté du service militaire par le
consulat.

Ainsi, même si Jean-Marie Action m'avait fourni une
fausse carte d'identité française (Gérard Sorel, jardinier, né
à Villeneuve-sur-Yonne), j'utilisais de préférence mes vrais
papiers, car cette carte ne m'inspirait aucune confiance :
sa fausseté me semblait sauter aux yeux.

Ce jour-là, de surcroît, ce jour de septembre-là, j'avais
une raison supplémentaire de montrer mes vrais papiers :
après mon équipée de Laroche-Migennes à la recherche

de Georges V., je devais me rendre à Paris pour rencontrer «Paul» et «Mercier» (pseudo de Michel H.). Et à Paris, pas question de circuler avec une fausse carte aussi approximative : je serais tombé au premier contrôle d'identité !

Nous avions tous les trois à parler du cas d'Alain, précisément.

– Je l'ai abattu moi-même, murmurait Frager, un an plus tard, à Buchenwald.

Alain, lui disais-je ce dimanche-là après l'appel, avait refusé de venir s'expliquer sur les dépôts d'armes et de munitions de l'AS que la Gestapo avait si facilement découverts. Il nous avait fait dire qu'il nous emmerdait. «Disleur que je les emmerde !», c'était le message qu'il avait demandé à Corinne de nous transmettre. Il nous emmerdait, voilà. La décision avait été prise de l'exécuter, à la première occasion.

Mais l'occasion ne s'était pas présentée. On n'avait pas pu la créer non plus. Et la Gestapo est arrivée chez Irène.

– Je me suis demandé si ce n'est pas lui qui vous a donnés… Il a dû comprendre que vous alliez le démasquer et il a pris les devants…

Je ne dis rien, mais il n'y a rien à dire.

Ensemble, dans un silence partagé, nous avons regardé le soleil de l'automne, la fumée grise et légère du crématoire.

Quelques années plus tard, un ancien membre du réseau, rencontré par hasard au cours d'un colloque de psychanalystes sur la mémoire de la déportation, un autre survivant de Jean-Marie Action, m'a raconté la fin de Frager.

Je savais l'essentiel, certes. Je savais qu'il avait été envoyé au block 42, après la période d'isolement. C'est là que je l'avais retrouvé. Je savais que la Gestapo, quelques semaines plus tard, l'y avait repris, pour l'exécuter. Et durant ces semaines, je l'avais vu régulièrement.

Un jour, installé à ma place de travail, devant le fichier central du camp, j'ai vu arriver une copie carbone d'une nouvelle communication officielle de la Gestapo. Une mince feuille dans le fatras de communiqués et communications de toutes sortes, où se transcrivait le mouvement de la vie à Buchenwald. Celui de la mort aussi, bien entendu.

Arrivées de convois, départs en transport vers des kommandos extérieurs, affectations de travail, admissions à l'hôpital, exemptions temporaires pour maladie, décès : toutes les informations concernant l'état quotidien des effectifs de production de la force de travail forcé étaient consignées dans ces feuilles.

Soudain, au beau milieu de ces papiers administratifs, quelques lignes succinctes annonçaient la mort d'Henri Frager.

Entlassen, libéré : c'était la formule habituelle de l'administration SS pour annoncer une exécution individuelle.

Et je me suis rappelé notre dernière conversation, le dimanche précédent.

Henri Frager parlait d'une voix assourdie.

Nous étions dans la salle de l'*Arbeit*, déserte à cette heure de loisir dominical.

Nous allons survivre, disait Frager, certains d'entre nous, en tout cas, vont survivre. Nous allons devenir, les survivants vont devenir de vieux messieurs décorés, chenus, en plus ou moins mauvaise santé, respectables néanmoins.

Nous allons faire partie de clubs ou d'associations diverses, présider peut-être des conseils d'administration, toucher des jetons de présence – rendez-vous compte, Gérard! Des jetons de présence, alors que désormais, à dire vrai, nous ne pourrons incarner que l'absence! – bien, bon, passons, nous serons des notables si nous sommes survivants : des nantis, c'est quasiment inévitable... Mais n'importe où, n'importe quand, à n'importe quelle occasion, banquet d'anciens élèves de tel grand lycée, d'anciens lauréats de tel ou tel prix ou concours, amicales de tel ou tel réseau, certains d'entre nous se retrouveront soudain autour d'une table pour un instant de vraie mémoire, de vrai partage, même si la vie, la politique, l'histoire nous auront séparés, même si elles nous opposent, et nous pourrons alors constater, avec une sorte d'allègre effroi, d'étrange jubilation, que nous possédons tous quelque chose en commun, un bien qui nous est exclusif, comme un obscur et rayonnant secret de jeunesse ou de famille, mais qui par ailleurs nous singularise, qui nous retranche sur ce point précis de la communauté des mortels, du commun des mortels : le souvenir de la torture.

L'expérience de la torture, avait-il répété sourdement.

Sur le coup, je ne suis pas parvenu à m'imaginer vieux, décoré, notable. Mais l'idée que nous aurions en commun le souvenir de la torture m'a paru pertinente. Cette idée – puisqu'elle fut une idée, une possibilité, une perspective sombre mais éblouissante, avant de devenir réalité, d'abord, expérience vécue, *Erlebnis* ineffaçable, ensuite –, cette vérité de la torture aura donc accompagné, investi, toute ma relation avec Frager, depuis l'entretien dans un appartement cossu, du côté de la porte des Ternes, en présence de «Tancrède», jusqu'à ce dimanche à Buchenwald.

Je lui avais alors longuement parlé de mon expérience de la torture. Il a été, d'ailleurs, la seule personne au monde à qui j'en aurai parlé avec quelque détail, sans complaisance ni enjolivure.

Maintenant qu'il est mort, avec qui pourrai-je évoquer ce souvenir, cette expérience? Faudra-t-il que j'attende le hasard d'une réunion d'anciens combattants – et à quel propos, quelle occasion improbables? Je les évite comme la peste! –, d'anciens résistants chenus, décorés, peut-être perclus dans leur détestation, leur incompréhension du monde tel qu'il va?

Je ne vois réellement qu'une personne, une seule aujourd'hui vivante, ô combien!, avec qui il ne serait pas impossible, ni indécent, d'évoquer cette expérience : Stéphane Hessel. Il est vrai que nous avons tant de choses à nous dire, lors de nos rencontres, que ce ressassement du passé ne nous vient même pas à l'esprit. Pas le temps de revenir là-dessus lorsque la vie nous offre tant de sujets de discussion, d'admiration ou de colère.

Pourtant, il faut que j'en dise deux mots, pour en finir, puisqu'il s'agit ici d'une sorte de réflexion, plutôt que d'un simple récit autobiographique, un bilan à faire au départ. Est-ce possible un bilan? Sans doute.

D'ailleurs, à un niveau de réflexion qui dépasse et surmonte celui de la simple énumération des faits et des souffrances, quelle morale peut-on déduire de ladite expérience? Quelles normes pour guider une action future?

En tout cas – et c'est l'une des conclusions à laquelle nous étions parvenus, Frager et moi, ce dimanche à

Buchenwald – il serait absurde, même néfaste pour une juste conception de l'humanisme possible de l'homme, de considérer la résistance à la torture comme un critère moral absolu. Un homme n'est pas véritablement humain seulement parce qu'il a résisté à la torture, ce serait là une règle extraordinairement réductrice. Les valeurs et les vertus proprement humaines – c'est-à-dire, assez essentielles pour fonder la transcendance d'un idéal du Moi altruiste, historiquement chargé de futuritions collectives – ne peuvent se concevoir ni se mesurer uniquement à l'aune de la capacité de résistance à la torture.

Bien sûr, en évoquant, tant d'années plus tard, la substance de mes conversations avec Henri Frager, au cours de quelques après-midi de dimanche à Buchenwald, j'ai tendance à formuler de façon systématique, conceptuellement hiérarchisée, ce qui ne fut alors qu'un échange de propos passionnés, d'expériences vécues, dans l'immédiateté décousue de leur formulation.

C'est ce jour-là, sans doute, en tout cas l'un de ces dimanches de l'automne 1944, que Frager me parla de Jean Moulin, il me parla de son rôle dans l'unification des mouvements de la Résistance ; il me parla du contexte de trahison dans lequel Moulin s'est vu arrêter par la Gestapo de Lyon, il me parla de Klaus Barbie.

Nous étions dans la salle de l'*Arbeitsstatistik*, quasiment seuls – si j'ai bonne mémoire, il n'y avait là, en dehors de nous deux, que le vieux Walter qui lisait l'édition dominicale du *Völkischer Beobachter*, ou peut-être l'hebdomadaire *Das Reich*. Et Walter, vétéran communiste, aurait très bien pu participer à notre échange sur l'expérience de la torture : il avait eu la mâchoire fracassée lors d'un interrogatoire de la Gestapo, dans les années 30 –, quasiment seuls, donc, lorsque Frager m'a parlé de Klaus Barbie.

Ce nom ne m'était pas inconnu.

Quelque temps avant mon arrestation, j'avais entendu parler de Klaus Barbie. À Lyon, ce dernier avait interrogé Jean-Marie Soutou, mon beau-frère, qui avait fondé avec l'abbé Glasberg les Amitiés judéo-chrétiennes, qui sauvèrent tant d'enfants juifs. Pas seulement des enfants, d'ailleurs.

Barbie avait arrêté Soutou. C'est le cardinal Gerlier, semble-t-il, par une intervention directe et pressante, qui obtint qu'il fût relâché. Après quoi, connaisseur des méthodes de la Gestapo, Soutou avait gagné clandestinement la Suisse, avec ma sœur Maribel.

Mais enfin, le nom de Barbie ne m'était pas inconnu, c'est cela que je voulais souligner.

Jean Moulin, donc, me disait Frager, avait été torturé par Barbie, qui ne parvint pas à lui arracher un seul mot, un seul nom, même pas le sien propre.

Un jour, cependant, après des semaines de souffrance, lorsque Barbie eut réussi, par d'autres voies que l'interrogatoire de son prisonnier, d'autres renseignements, d'autres renoncements ou trahisons, à l'identifier, il lui tendit triomphalement un feuillet où il avait inscrit son vrai nom, mais incorrectement orthographié : Moulins.

Alors, Jean Moulin, physiquement brisé, détruit, mais moralement indemne, se borna à tendre la main et à biffer ce « s » inutile.

Voilà : Moulin !

Je ne connais pas de geste plus sublime, plus significatif

de la capacité de l'homme à affirmer son humanité en se surpassant. En surpassant sa propre finitude, sa misérable condition humaine.

Après ce récit, il y eut du silence, entre Frager et moi. Silence peuplé pourtant d'ombres fraternelles. Nous en tombâmes d'accord, en effet, ce jour-là : l'expérience de la torture n'est pas seulement, peut-être même pas princi-palement, celle de la souffrance, de la solitude abominable de la souffrance. C'est aussi, surtout sans doute, celle de la fraternité. Le silence auquel on s'accroche, contre lequel on s'arc-boute en serrant les dents, en essayant de s'éva-der par l'imagination ou la mémoire de son propre corps, son misérable corps, ce silence est riche de toutes les voix, toutes les vies qu'il protège, auxquelles il permet de conti-nuer à exister.

Et sans doute l'être du résistant torturé devient-il un être-pour-la-mort, mais c'est aussi un être ouvert au monde, projeté vers les autres : un être-avec, dont la mort individuelle, éventuelle, probable, nourrit la vie.

Cette conviction que nous avions partagée, à Buchen-wald, un dimanche, j'ai eu plus tard l'occasion, dans la clandestinité madrilène, de vérifier sa portée, sa foison-nante vérité.

À Madrid, en effet, n'ayant jamais été arrêté, malgré les efforts considérables déployés par la police de la dictature, je n'avais pas eu, comme autrefois, pendant la Résistance, à préserver la vie des autres, leur liberté, du moins, par mon silence. Ce sont les autres qui avaient préservé ma liberté, par leur silence sous la torture. Jamais aucun des mili-tants arrêtés pendant ces dix longues années de clandes-tinité n'aura livré à la police un rendez-vous avec moi, ni le moindre indice qui aurait pu me mettre en danger. J'ai vécu en liberté dix longues années de clandestinité – une sorte de performance ou de record, si j'en crois les chroniques et les mémoires de cette période historique – grâce à tous ces silences multipliés.

L'expérience de la torture n'est donc pas un *Erlebnis* égotiste ou narcissique, quelle que soit la dose d'individualité, de singularité, qu'elle comporte forcément. Quelle que soit même la part de l'incommunicable, touchant la honte ou la fierté intime. C'est une expérience de solidarité autant que de solitude. Une expérience de fraternité, il n'y a pas de mot plus approprié.

Ce n'est donc que des années plus tard que je sus ce qu'il lui était arrivé.

Il semble que Frager, le moment venu, me disait le Dr L., avait exigé des SS d'être fusillé. Avec une volonté farouche, il avait refusé d'être pendu, selon les procédures nazies habituelles, dans le bunker de Buchenwald. Avec tant d'énergie, qu'il avait obtenu d'être passé par les armes, comme un soldat, et non pendu, comme un simple délinquant.

Quatre ans après ces discussions, ces rendez-vous avec Frager, avec «Tancrède»; quatre ans après l'époque où j'évitais la rue Lauriston à cause de la Gestapo française de Bonny-Lafont, et l'avenue Kléber à cause de la Gestapo allemande de l'hôtel Majestic, je franchissais tous les matins le seuil de cet ancien palace, devenu entre-temps siège provisoire de l'Unesco.

J'y travaillais, à la section de langue espagnole. Mon

chef de service était un écrivain : réfugié politique, bien entendu. En ce temps-là, la dictature de Franco était encore bannie de toutes les instances des Nations Unies.

José Mariá Quiroga Plá avait été le mari d'une fille du grand et mystérieux Miguel de Unamuno, dont il était toujours, des décennies plus tard, le veuf poétiquement éploré. Car il était surtout poète, Quiroga Plá, de bonne facture classique, au demeurant. Son castillan sonore évitait cependant trop de grandiloquence.

Malade chronique, régulièrement insulinisé pour limiter les ravages du diabète, c'était pourtant un homme gai, positif, dont l'humour ravageur ignorait les tabous : ni Dieu, ni César, ni tribun. Pour lui, pas de Sauveur suprême ! Il avait du mérite, car c'était un communiste fidèle et de longue date. Mais il avait préservé, mieux que beaucoup d'entre nous, son mauvais esprit.

Je veux dire : son esprit critique, tout à l'opposé de l'esprit de parti.

Je m'installais dans mon bureau, tous les matins, avenue Kléber, dans cet hôtel Majestic que j'évitais naguère. Une secrétaire m'apportait du café, les documents du jour, le dossier des textes traduits de l'anglais ou du français dont il me fallait réviser, la corrigeant à l'occasion, la version espagnole. Je me mettais aussitôt au travail, mon objectif étant, en général, d'en finir dans la matinée avec le nombre de pages prévues pour la journée, selon des normes qui n'étaient pas vraiment stakhanovistes, afin de disposer, après midi, de quelque temps de lecture ou de conversation avec l'un ou l'autre, en vagabondant à travers les différents services de l'Unesco où j'avais des amis.

Nos bureaux étaient aménagés, vers cette fin des années

40 – assez sommairement d'ailleurs, sauf aux étages de direction – dans les suites et les chambres d'autrefois et il y restait parfois des traces de leur ancienne vocation hôtelière.

Ainsi, tous les matins, levant les yeux du texte à réviser, il m'arrivait d'apercevoir, au-delà du trou béant d'une porte dont l'huisserie avait disparu, l'image incongrue d'une baignoire hors d'usage, aux pieds griffus, aux courbes nouveau style.

Une baignoire de la Gestapo, me disais-je.

La pièce attenante à mon bureau, occupée alors par des étagères de rangement en bois brut où s'entassaient dossiers anciens et documents d'archives, avait été, en effet, une salle de bains.

Je ne pouvais pas regarder cette baignoire insolite, vestige ambigu d'un passé de souffrance et de luxe – de luxure aussi, probablement –, sans me souvenir de «Tancrède» et de sa méticuleuse énumération des tortures prévisibles, quatre ans auparavant.

Ce jour-là, dans l'appartement cossu proche de la porte des Ternes, j'avais déjà deviné que de tous les supplices évoqués par «Tancrède», celui de la baignoire me serait le plus désagréable à supporter. Dès mon enfance – et j'en ai toujours ignoré l'origine traumatique, si tant est qu'il y en ait une – j'avais eu la hantise de l'étouffement : tout incident, même banal, sans réelle gravité, qui m'empêchait, ne fût-ce qu'un instant, de respirer à mon aise, provoquait chez moi des poussées d'angoisse, parfois de véritables crises.

J'écoutais «Tancrède» attentivement, je voyais que

53

la jeune femme blonde manquait de s'évanouir, quand celui-ci, nonchalant et précis, rappela que les types de la Gestapo jetaient habituellement dans la baignoire remplie d'eau glacée des ordures ménagères, des trognons de légumes pourris, même des excréments, avant de maintenir sous cette eau dégoûtante la tête du détenu, et je me disais que ce serait sûrement le supplice le plus difficile à supporter.

Ce fut le cas : il n'y a rien d'autre à dire.

Il m'en est resté une phobie absolue et définitive des baignades collectives, des juvéniles jeux aquatiques où l'on vous enfonce pour rire la tête sous l'eau. Dans ce cas-là, je n'ai pas envie de rire, certainement pas, j'aurais plutôt envie de tuer.

Mais ce n'est pas grave : on peut parfaitement survivre en évitant les joyeuses baignades collectives, pour ne pas avoir à expliquer des colères inexplicables.

Celui qui est submergé par la douleur de la torture ressent son corps comme jamais auparavant. Sa chair se réalise totalement dans son autonégation...

C'est Jean Améry qui a formulé cette pensée, d'une justesse péremptoire, dans un essai sur la torture publié dans le recueil *Par-delà le crime et le châtiment*.

Jean Améry a été un écrivain rare mais considérable. Né à Vienne en 1912, de son vrai nom Hans Mayer, philosophe de formation, il émigre en Belgique en 1938, au moment de l'Anschluss, de l'annexion de l'Autriche par Hitler.

C'est en Belgique, devenu par anagramme Jean Améry, qu'il est arrêté par la Gestapo, pour faits de résistance.

Torturé dans la tristement célèbre forteresse de Breen-donk, Mayer-Améry est déporté à Auschwitz, parce que juif.

Les textes de Jean Améry sur son expérience des camps ne prennent pas une forme narrative, mais celle d'une réflexion philosophique lucide, austère, dépourvue de complaisance. Ils font partie, nul doute ne me semble permis, du fonds de lectures essentielles sur l'univers concentrationnaire.

Celui qui est submergé par la douleur de la torture ressent son corps comme jamais auparavant...

À Auxerre, dans la villa de la Gestapo, je ne connaissais pas cette observation de Jean Améry, bien évidemment. Je n'ai lu ses textes que des décennies plus tard. À Auxerre, je me souvenais des descriptions de «Tancrède», je pouvais vérifier leur pertinence. Je n'avais aucune idée de Jean Améry, mais j'aurais pu formuler mon expérience de ces jours-là, ces semaines-là, avec les mêmes mots : j'ai, en effet, ressenti mon corps comme jamais auparavant.

Je dirais plus : c'est à Auxerre, dans la villa de la Gestapo, sous la torture, que j'ai vraiment pris conscience de la réalité de mon corps. Avant, mon corps et moi ne faisions qu'un être indistinct : j'étais mon corps, sans le savoir. Et il était moi-même. À force d'être moi-même, d'ailleurs, mon corps n'existait pas pour soi. Il n'y avait aucune distance, avant ces longues journées d'interrogatoire, entre mon âme – ma volonté, mes désirs, mes caprices même – et ce corps disponible, toujours apte à l'effort ou au relâchement.

À Auxerre, j'avais eu l'impression, rétrospectivement, de n'avoir jamais eu de corps. Comme si je m'incarnais dans la douleur, comme si celle-ci me faisait découvrir, en même temps que mon corps, sa fragilité, ses misères, sa finitude. J'ai tellement ressenti mon corps qu'il est devenu, en quelque sorte, une entité séparée, peut-être autonome – dangereusement autonome –, comme un être-autre. À certains moments, davantage même : un pour-soi hostile, ennemi de l'idée du Moi que je m'étais choisie, en tant qu'héritage et que projet.

J'ai donc ressenti mon corps comme jamais auparavant. Dans la douleur, certes, dans un affolement viscéral difficile à contrôler, dans la bestialité d'un désir de capitulation. *Tu trembles, carcasse*, me disais-je, répétant le mot célèbre, *mais si tu savais où je te mène...*

Ces jours-là, j'eus la possibilité de vérifier à quel point la description que «Tancrède» nous avait faite s'ajustait à la réalité. D'abord le matraquage, en effet. Ensuite, la suspension par une corde glissée entre les menottes. Le pire étant, dans ce cas de figure, d'être menotté dans le dos : on a alors, lorsqu'on vous suspend, l'impression d'être disloqué, écartelé à jamais. La baignoire fut le stade ultime du traitement qui me fut infligé, sans résultat, avant d'être soudain oublié comme un fardeau inutile par une Gestapo surchargée de travail.

Des semaines plus tard, on se souvint à nouveau de moi, pour la déportation en Allemagne.

Ainsi, dans l'échelle progressive décrite par «Tancrède», je ne connus ni l'électricité ni le supplice des ongles arrachés. Impossible de savoir, donc, si j'y aurais résisté, comme j'avais tenu le coup jusque-là.

Quoi qu'il en soit, l'affirmation de Jean Améry à propos de la révélation du corps dans la torture me semble absolument pertinente. Il est indiscutable qu'à ce moment le résistant soumis aux traitements de la Gestapo constate que *sa chair se réalise dans l'autonégation.*

En revanche, une autre affirmation d'Améry me semble tout à fait injustifiée, incompréhensible même.

Dans le même essai, il proclame, en effet, que *celui qui a été soumis à la torture est désormais incapable de se sentir chez soi dans le monde. L'outrage de l'anéantissement est indélébile. La confiance dans le monde qu'ébranle déjà le premier coup reçu et que la torture finit d'éteindre complètement est irrécupérable...*

Je ne comprends pas ce qu'il veut dire !

Voici un homme de trente ans, Hans Mayer-Améry, assez lucide et déterminé pour s'exiler, fuyant le nazisme dans l'intention de poursuivre la lutte ; engagé dans la Résistance une fois rattrapé par la barbarie moderne dans son pays d'asile, la Belgique ; et cet homme voit *sa confiance dans le monde* ébranlée par le premier coup reçu, lors du premier interrogatoire de la Gestapo ?

Ou bien ça ne veut rien dire, ce n'est qu'une phrase, ou bien cette confiance qui s'effondre d'un coup était aveugle aux réalités du monde, sourde aux clameurs de cette réalité. Ce n'était qu'une confiance ingénue, angélique, infantile en somme, ne correspondant pas du tout au comportement adulte, combatif, d'Améry.

Dans cette affirmation, si elle a été vraiment pensée, il y a le reflet d'une profonde blessure personnelle, d'un désespoir affreux, d'un secret intime qui éclate soudain, violent, indéchiffrable.

Pour moi, du moins, car je me refuse à le déchiffrer.

Mon expérience personnelle me dit tout le contraire, en effet. Mon expérience personnelle m'apprend que ce n'est pas la victime mais le bourreau – si celui-ci en réchappe, s'il y survit dans une existence ultérieure, même anonyme et apparemment paisible – qui ne sera plus jamais chez soi dans le monde, quoi qu'il en dise lui-même, quel que soit son faire-semblant. La victime, tout au contraire, et non seulement si elle survit à la torture, même au cours de celle-ci, dans tous les interstices de répit bienvenu, quoique éphémère, la victime arc-boutée sur son silence voit se multiplier ses liens au monde, voit s'enraciner, se ramifier, proliférer, les raisons de son être-chez-soi dans le monde.

À Auxerre, dans la villa dont le jardin embaumait les roses de l'automne, chaque heure de silence gagnée aux sbires du Dr Haas, le chef local de la Gestapo, m'a conforté dans la certitude d'être, précisément, chez moi dans le monde.

Qui m'appartenait. Ou plutôt : auquel j'appartenais.

Chacune de ces heures de silence gagnées, je pouvais le constater aisément, rendait les types de la Gestapo plus fébriles, plus hébétés. Chaque heure gagnée m'enrichissait, en somme, et les privait eux-mêmes des biens de ce monde – les appauvrissant encore davantage, pauvres types qu'ils étaient déjà !

Mais je n'avais pas lu Jean Améry, vers la fin des années 40, quand je voyais la baignoire de la Gestapo, avenue Kléber, dans l'ancien hôtel Majestic devenu siège provisoire de l'Unesco.

Des souvenirs s'évoquaient, sans doute, revenant à la surface, en vrac. Les roses dans le jardin de la villa d'Auxerre. Les gestes un peu mous, efféminés, du plus jeune des tortionnaires, le plus pervers aussi. Les dents dorées du

Dr Haas. Le regard désespéré de la jeune secrétaire de ce dernier. Mais tout cela était fugace, et même plutôt léger. Je ne m'y attendais pas. C'était une époque de ma vie où je me détachais volontiers – et volontairement – de mon passé récent. Je désapprenais ce passé, je m'en déprenais méthodiquement. N'ayant pas réussi à le mettre en ordre, en place, en perspective, dans un récit qui l'aurait rendu habitable, il me fallait l'oublier, pour parvenir à vivre. Ou à survivre, à revivre : je vous laisse le choix du verbe.

J'y parvins à merveille. À oublier, je veux dire ; je n'écrirais que bien plus tard, une fois venu le temps de la remémoration.

J'avais alors quitté l'hôtel Majestic et l'Unesco. Pas seulement parce que le régime de Franco y avait été admis, en 1952. Aussi, surtout, parce que j'étais devenu un «permanent» de l'appareil politique du PC espagnol, et que je me préparais à un premier voyage clandestin en Espagne.

À Madrid, à partir de ce premier voyage, qui eut lieu en juin 1953, je me suis souvent rappelé la baignoire de la Gestapo.

La vraie, bien sûr, celle que j'avais connue à Auxerre, pas la baignoire allégorique de l'ancien hôtel Majestic, avenue Kléber, dont on aurait pu rire, avec un zeste de provocation ou de forfanterie.

Pendant dix ans, quand j'étais à Madrid, quel que fût mon domicile clandestin, mes journées commençaient toujours de la même façon : je me rasais soigneusement, je voyais mon visage dans la glace du cabinet de toilette, et je passais en revue, mentalement, tous mes rendez-vous de la journée. Je ne les notais jamais par écrit, bien évidemment. Et encore moins en langage chiffré, car l'interrogatoire prévisible, en cas d'arrestation, si on avait trouvé ce genre de notes sur moi, n'en aurait été que plus brutal.

J'étais donc obligé d'enfouir dans ma mémoire des dizaines de rendez-vous s'étendant sur des périodes longues parfois de plusieurs semaines. L'exercice matinal d'anamnèse était donc indispensable... Je me rasais, tout en faisant réapparaître dans ma mémoire les rendez-vous de la journée.

Mais certains d'entre eux avaient été fixés longtemps auparavant. Le militant concerné, dont je n'avais pas eu de nouvelles depuis notre dernière rencontre, pouvait avoir été arrêté. On n'apprenait pas toujours aussitôt l'arrestation d'un militant, si celui-ci ne faisait pas partie du noyau dur des responsables de secteur ou de quartier. De plus, la police cachait parfois des arrestations, afin de ne pas nous donner l'alerte. En conséquence, il y avait tous les jours – presque chaque jour, du moins – des contacts prévus, des rendez-vous établis, dont il était impossible, vu les limitations objectives de l'organisation clandestine, d'assurer que la police de la dictature n'en avait pas eu connaissance.

Le militant que je devais retrouver à une certaine heure, quelque part, avait peut-être été arrêté entre-temps. Avait-il été torturé? Avait-il parlé sous la torture? Avait-il livré ce rendez-vous à venir?

Tous les jours ainsi, à l'un ou l'autre des contacts prévus, je pouvais tomber sur des policiers de la Brigade politique.

Le long de la grille du parc du Retiro, par exemple, entre la place de l'Indépendance et la porte monumentale de la rue qui portait le nom de mon grand-père, Antonio Maura, je pouvais me voir soudain entouré de policiers. Ou bien ceux-ci pouvaient m'attendre à l'heure dite chez le militant en question, si j'avais eu rendez-vous chez lui. Ou au musée du Prado, devant tel tableau de maître. J'avais un faible pour le *Passage du Styx*, de Joachim Patinir ; les policiers auraient pu m'attendre devant ce tableau de la salle de peinture flamande : ça aurait été le comble !

Je me rasais, donc, je me remémorais les rendez-vous de la journée, j'écartais de mon attention ceux où le risque d'être arrêté était minime, ou négligeable – jamais inexistant, pourtant – et je me concentrais sur ceux où le pire était envisageable. J'imaginais alors des procédures d'approche. J'arriverais en avance sur le lieu du rendez-vous, pour humer l'atmosphère du quartier. Debout, buvant une bière ou un café, selon l'heure, à un comptoir de bistrot voisin, j'écouterais les conversations, j'observerais les allées et venues, j'essaierais de repérer des voitures ou des personnages suspects dans les environs.

Si le militant concerné avait craqué sous la torture, s'il avait annoncé que tel jour prochain, à telle heure, il avait un contact prévu avec un dirigeant du parti – certains, très peu nombreux cependant, auraient pu révéler le nom de ce dirigeant, Federico Sanchez lui-même, que la police recherchait depuis tant d'années, vainement –, dans un cas semblable, il y aurait eu probablement un déploiement policier que j'avais une chance de déceler, de surprendre, rien qu'en arrivant en avance, rien qu'à humer le train-train de la vie du quartier.

J'imaginais donc des procédures d'approche, en fonction de la topographie du lieu de rendez-vous.

Mais il fallait prévoir une alternative : peut-être ne parviendrais-je pas à déceler la présence policière ! C'était peu probable, ce n'était pas impossible. Il fallait donc imaginer le pire, m'y préparer : les armes braquées, la fouille, les premiers coups, les premières questions.

La police trouvera sur moi de faux papiers d'identité. Très bien falsifiés, certes. À s'y tromper, à s'y méprendre. Les policiers franquistes, d'ailleurs, s'y sont souvent trompés, souvent mépris. En tout cas, lors d'un contrôle d'identité purement routinier, je n'aurais jamais été suspecté, jamais retenu. J'aurais tranquillement pu continuer mon chemin. Ni moi ni aucun des cadres clandestins du PCE n'aurions jamais été interceptés. Car nous disposions d'un atelier de falsification exceptionnellement efficace, dirigé, de surcroît, par un véritable artiste.

Il m'est arrivé de voir travailler Domingo M., amoureusement consacré à sa tâche de fabriquer du faux plus vrai que la vérité. Il m'est arrivé, dans l'une de ses planques-ateliers du quartier de Montparnasse, ou de la banlieue sud de Paris, ou dans une quelconque chambre d'hôtel d'un pays de l'Est où il avait apporté sa mallette de magicien, de le voir travailler sur une carte d'identité ou un passeport vierges, puant le neuf, trop beaux pour n'être pas douteux, les malaxant pour leur faire acquérir les plis de l'usage, la patine indiscutable de l'ancien, de l'authentique. À l'aide de poudres, de cires, de couleurs d'origines diverses, de poinçons, de tampons secs ou humides, je l'ai vu faire surgir entre ses doigts prodigieux des papiers d'identité de toute sorte, dont aucun policier n'aurait jamais pu soupçonner la fausseté.

Ainsi, un jour des années 50, dans une pension de famille de Madrid, la police effectua un contrôle de routine. Parmi les locataires se trouvait un jeune cadre clandestin du PCE. Sa carte d'identité est vérifiée et ne soulève aucune suspicion, apparemment. La police quitte les lieux, après cette inspection de routine. Le camarade en question reste sur place, ne déménage pas immédiatement, à tout hasard, comme il aurait été sage de le faire. Et le lendemain, la police est revenue. L'inspecteur de la veille, fort embêté d'ailleurs, déclare au militant clandestin qu'en vérifiant le numéro de code de la carte qu'il a présentée, on a pu constater qu'il correspondait à une personne du sexe féminin. Le militant, qui a été imprudent, certes, mais qui est un homme de sang-froid, d'un courage tranquille, à toute épreuve, regarde l'inspecteur en face et lui lance : «Ai-je vraiment l'air d'une femme?» Confusion du flic, excuses. Il s'en va en grommelant qu'il doit y avoir une erreur quelque part! L'idée ne lui vient même pas qu'une telle carte d'identité puisse être fausse. Cette fois-ci, enfin, le militant clandestin quitte la pension de famille, sitôt le policier disparu, laissant ses affaires sur place, sans demander son reste.

Je n'aurai pas cette chance, bien sûr. Les policiers de la Brigade politique qui m'attendent aujourd'hui, si j'ai été donné, à tel ou tel rendez-vous, ne vont pas se satisfaire de mes papiers d'identité, si authentiques qu'ils semblent être. Ils ne vont pas tirer leur révérence, me laisser en paix. Ils vont immédiatement m'embarquer vers la Puerta del Sol, vers les bureaux de la Direction générale de la Sûreté, pour un premier interrogatoire.

Dans la voiture qui me conduira vers les cachots de la Puerta del Sol – que j'imagine fort bien, que je connais comme si j'y avais déjà été, tellement nombreux sont les récits circonstanciés des camarades qui y ont séjourné et qui m'en ont parlé –, dans la voiture, les policiers vont commencer à frapper, ne serait-ce que pour se mettre en train, en forme, pour me faire comprendre de quel bois ils se chauffent. Mais la place n'est pas suffisante pour qu'ils cognent vraiment, en prenant du recul ; ça ne va pas être difficile à supporter.

Les choses sérieuses commenceront plus tard.

Mais je suis prêt, je me suis préparé à ce moment. J'y pense tous les matins, en me rasant soigneusement. J'y ai pensé chaque matin, pendant dix ans, tout le temps de ma vie clandestine à Madrid.

Je voyais la statue équestre du général Franco.

D'une des fenêtres de l'appartement, au premier étage, sur la place San Juan de la Cruz, je voyais la statue équestre du général Franco.

C'était à la fin de l'année 1962 et c'était la fin de mon dernier séjour clandestin en Espagne.

La statue équestre du général Franco se dressait dans une sorte de contre-allée, au pied des édifices d'une morne modernité du quartier des Nouveaux Ministères. Au moment où on a ainsi baptisé ce quartier, c'est vrai qu'ils étaient nouveaux, ces édifices. C'est sous la République, avant la guerre civile, vers le milieu des années 30, donc, que ce nouveau quartier administratif avait été construit. Il n'y avait pas encore, bien sûr, la statue du général Franco : ni équestre, ni pédestre. Il aura fallu plusieurs centaines de milliers de morts pour que Franco ait des statues et des arcs de triomphe qui lui soient consacrés un peu partout en Espagne. Mais lorsqu'on a construit ce nouveau quartier, dans le prolongement de l'avenue de la

Castellana, à Madrid, le général Franco n'était connu que d'une petite minorité d'Espagnols. Certes, cette minorité savait déjà la réputation de cruauté du général Franco, acquise en Afrique, pendant la guerre du Rif. Confirmée en Espagne même, en 1934, lors de la répression féroce de l'insurrection prolétarienne utopique, sans doute injustifiée, des mineurs des Asturies. Mais enfin, l'Espagne de l'époque n'était pas avare quant au nombre de généraux cruels. Franco était simplement l'un des plus froidement cruels, des plus déterminés dans leur commune férocité. Il l'a prouvé abondamment, dès son accession au poste de Généralissime. Car il fut Généralissime, *Caudillo de l'Espagne par la grâce de Dieu*, proclamait la monnaie nationale sur l'une de ses faces. À l'époque où ces statues furent dressées, équestres pour la plupart, à travers toute l'Espagne, il n'y avait sur terre que trois généralissimes : Staline, Tchang Kaï-chek et Franco lui-même !

En tout cas, la statue équestre du Généralissime est sous mes yeux, de l'autre côté de la place.

Je suis dans l'appartement d'Ángel González, bon poète, bon camarade, à Madrid, sur la place Saint-Jean-de-la-Croix. Nous sommes en hiver, mais le ciel est bleu, d'un bleu dense et profond, sous le soleil, un bleu d'anil et d'enfance.

Demain, une voiture va se garer non loin d'ici. Je serai sur le lieu de rendez-vous prévu, à l'heure dite, à la seconde près. Je connais le conducteur de la voiture, j'y prendrai place. On va échanger quelques phrases brèves, il n'y a pas grand-chose à dire, tout va bien, rien de suspect à signaler, on peut se mettre en route. Jean D., que j'appelle « Petit-jean » depuis notre lointaine adolescence, va contourner la fontaine de la place Saint-Jean-de-la-Croix, va prendre à gauche vers la sortie nord de Madrid, vers Burgos et la frontière française.

C'est la fin de l'année 1962 et c'est la fin de mon dernier séjour clandestin en Espagne.

Depuis quelque temps, une discussion était en cours au sein du Bureau politique du PCE. Commencée sur des problèmes concrets, qui pouvaient sembler secondaires – la question agraire, par exemple, celle de notre stratégie envers les couches paysannes si différenciées en Espagne –, pour la première fois, l'unanimité consensuelle, quasiment rituelle, fut rompue par un vote au BP, établissant une majorité et une minorité : exiguë celle-ci, bien sûr, composée seulement de deux membres, Fernando Claudín et moi-même. Ou plutôt, Federico Sanchez. Prolongée, ladite discussion, à propos de questions idéologiques, elle allait finir par concerner l'essentiel de notre tactique de lutte en Espagne, et également l'analyse du passé stalinien de l'URSS et la question des relations du parti espagnol avec le mouvement communiste, en général, et le parti soviétique, en particulier.

En dramatisant les enjeux de la discussion ; en faisant de l'unité du groupe dirigeant une question taboue ; en présentant toute divergence d'analyse comme un crime fractionnel, Santiago Carrillo allait parvenir, au fil des mois suivants, avec une ténacité parfois brutale, parfois insidieuse, à réduire les fractures de dissentiment ou de doute qui commençaient à surgir au Bureau politique, après les échecs des derniers temps, et à nous isoler tous les deux, Claudín et Sanchez, dans les instances dirigeantes du PCE.

Mais je ne vais pas revenir là-dessus.

C'est une histoire qui ne peut plus intéresser personne. Intéresser vraiment, je veux dire, jusqu'à passionner, indigner, mettre en question des certitudes ou des routines de pensée. Tout ce qui concerne le communisme et les partis communistes dans le monde, c'est de la préhistoire. Qu'il y ait eu, j'en suis persuadé, dans la discussion du Bureau politique espagnol du début des années 60 du siècle dernier – la préhistoire, je le disais bien ! –, du moins en germe, sans doute sous une forme encore floue, indéterminée, l'essentiel des problèmes sur lesquels s'est brisée l'entreprise révolutionnaire de tradition léniniste, quelques années plus tard, n'intéresse plus que les historiens. Et encore faut-il des historiens diablement spécialisés !

L'autre jour, pourtant – et quand je dis *l'autre jour*, ce n'est pas une formule rhétorique, une assez simple et fruste façon de situer dans un ordre temporel donné le discours narratif; c'est vraiment l'autre jour, il y a quelques jours, en ce mois de juillet 2005 où commence à s'écrire cette histoire, à se nouer cette réflexion, à se redéployer cette mémoire –, pourtant, l'autre jour, dans un autobus parisien de la ligne 63, ligne très pratique, en tout cas pour moi, car, traversant Paris d'est en ouest, ou inversement, au choix, elle dessert des quartiers où j'ai souvent affaire et que, de surcroît, elle est l'une des seules, à ma connaissance – mais je suis un usager assidu des transports en commun, ma connaissance est vaste –, l'une des rares lignes à mettre en service des véhicules climatisés, ce qui, en ce mois de juillet, est bien appréciable, l'autre jour, donc, entre les arrêts Saint-Guillaume et Saint-Germain-des-Prés, et l'ordre dans lequel j'énumère ces arrêts aura fait comprendre, si l'on y a prêté attention, que ce jour-là je me déplaçais d'ouest en est, j'ai donc senti soudain une main sur mon épaule. Je n'ai pas sursauté, je ne me suis pas retourné d'une pièce, pour faire face, à tout hasard. C'était une main fraternelle. C'était une main qui ne pesait pas sur mon épaule, qui ne s'appesantissait pas lourdement, dont les doigts ne serraient pas brutalement mon épaule, mais l'effleuraient amicalement. Ce n'était pas une main de flic, en somme, ou d'ennemi : bien au contraire, une main fraternelle, c'est la meilleure définition. Je me suis donc retourné lentement, sans sursauter, sans m'inquiéter outre mesure. «Vous êtes Jorge Semprun», m'a-t-on dit, d'une voix chantante, une voix antillaise, on les identifie aisément. C'était la voix chantante d'un grand gaillard martiniquais, aux cheveux poivre et sel. La moustache aussi, d'ailleurs, entremêlée de poils gris. Il avait gardé la main sur mon épaule. J'ai acquiescé d'un geste. Non pas que je sois toujours sûr d'être celui que ce grand type dans la force de l'âge venait de nommer, mais enfin, c'est une convention sociale qu'il faut bien assumer. Si j'avais été dans un autobus madrilène – mais à Madrid je ne prends pas l'autobus, jamais! –, si quelqu'un m'avait posé la main sur l'épaule, à Madrid, faisons-en l'hypothèse, si on m'avait dit : *Es usted Jorge Semprún?*, j'aurais donné ma réponse habituelle, car c'est une question qu'on me pose aussi à Madrid, malgré que je ne fréquente pas les autobus – et d'ailleurs, tout compte fait, à Madrid on me demande plutôt si je suis Federico Sanchez –, mais ma réponse habituelle, préparée d'avance, est la même dans les deux cas, et elle est assez laconique : *Eso dicen...* «C'est ce qu'on dit.» Réponse qui a le double avantage d'être précise, positive, et à la fois distante, ironiquement distanciée. C'est ce qu'on dit, en effet, mais moi je ne dis rien, tenez-vous-le pour dit! Si on est sensible aux nuances du langage, et on y est sensible aussi à Madrid, n'allez pas croire, j'obtiens souvent pour conclure un simple signe de tête, une main tendue, un sourire amical, la vision d'un regard complice, et puis c'est tout. Largement suffisant, par ailleurs. Car il n'est pas question d'entamer une vraie conversation avec toutes les personnes qui vous reconnaissent dans les transports en commun, ni même dans la rue!

Mais je n'étais pas à Madrid, j'étais dans un autobus climatisé de la ligne 63, à Paris, juste après l'arrêt Saint-Guillaume et le grand gaillard martiniquais gardait la main sur mon épaule, ça ne me gênait pas, c'était une main fraternelle; et j'ai donc acquiescé à sa question qui était plutôt une affirmation, ou un simple constat, d'un geste, et il a dit quelque chose d'imprévu, d'imprévisible même, quelques mots complètement inattendus : «C'est vous qui avez écrit la préface du livre de Claudín sur le mouvement communiste», et c'est vrai que je l'avais écrite, cette préface, mais c'était si loin, il y avait plus de trente ans! Il se souvenait très bien, il m'a parlé de la préface et du livre lui-même, surtout du livre lui-même de Claudín, dont il prononçait le nom très correctement, comme s'il savait l'espagnol, mais pourquoi n'aurait-il pas su l'espagnol? et j'étais surpris, certes, mais aussi bouleversé, plutôt ça, en vérité, plutôt bouleversé que ce grand gaillard dans la force de l'âge – on dit souvent cela de quelqu'un, je ne sais pas pourquoi, qu'il est dans la force de l'âge quand elle va précisément le quitter, la force, qu'elle est sur le point de le quitter, mais ce n'était pas le cas du grand gaillard martiniquais, il était vraiment dans la force de l'âge –, qu'il me parle de cette préface que tout le monde avait oubliée, moi-même le premier. Ce n'était pas possible, en effet, qu'il m'eût reconnu à cause de cette préface oubliée, négligeable d'un point de vue bibliographique, il a dû me reconnaître pour une tout autre raison, à cause de la télévision, peut-être, à cause de la série d'émissions que j'ai faites avec Francis Girod et Olivier Barrot, ou plutôt qu'ils m'ont fait faire, ou à cause d'un livre, *Le grand voyage* et *L'écriture ou la vie* sont ceux que mentionnent le plus fréquemment les gens qui m'abordent dans l'autobus ou le métro, ou tout simplement dans la rue ; mais quelle que fût réellement la raison de la reconnaissance, le grand gaillard martiniquais avait choisi de me parler de la préface du livre de Claudín, et j'en fus bouleversé, et nous avions un peu parlé de l'essai sur le mouvement communiste, et de ce mouvement lui-même, c'était une conversation touchante, un peu irréelle, et à la fin je ne pouvais pas m'empêcher de lui dire, en lui serrant le bras, avec la même fraternité qu'il avait mise dans sa main sur mon épaule : « Ce sont de vieilles batailles, oubliées… » Et il a secoué la tête, négativement, mais il ne pouvait pas nier que ces batailles fussent de vieilles batailles, il n'y avait plus de mouvement communiste, en effet plus de batailles, plus rien ! Que pouvait-il nier, donc, de ce geste catégorique ? Qu'elles fussent oubliées, voilà ce qu'il niait, et il avait aussitôt précisé son sentiment : « Mais il fallait les faire, ces batailles, vous avez eu raison de les faire », a-t-il affirmé. Nous étions arrivés à l'arrêt Odéon-Saint-Germain, c'est là que je descendais. Et nous nous sommes salués, littéralement : « Salut ! » avons-nous lancé l'un à l'autre, et j'étais sur le trottoir, l'autobus repartait, et pendant quelques secondes, immobile, voyant repartir l'autobus avec le grand gaillard martiniquais qui levait le poing en guise d'adieu, que je ne reverrais probablement jamais, pendant quelques secondes je n'ai plus été le survivant des vieilles batailles du communisme, oubliées et perdues, vieil homme sans autre raison de vivre désormais que la vie elle-même – et les sourires juvéniles de quelques vivants, quelques vivantes –, il m'a semblé que grâce à ce grand gaillard martiniquais les batailles perdues n'avaient peut-être pas été tout à fait inutiles.

Mais je ne vais pourtant pas m'attarder sur l'histoire de cette bataille perdue à la direction du PCE. D'ailleurs, je l'ai déjà racontée, dans ses grandes lignes, du moins.

Je vais plutôt renouer le fil de mon récit.

Ainsi, en attendant que la procédure d'exclusion fût conduite à son terme, Santiago Carrillo m'avait écarté du travail en Espagne – du contact avec les militants et les cadres de l'intérieur, donc, sur lesquels je pouvais avoir une influence certaine selon lui néfaste – et m'avait fait remplacer par un dirigeant du PCE qui vivait à Moscou depuis la fin de la guerre d'Espagne, peu préparé, donc, aux exigences d'une clandestinité madrilène, d'un univers et d'un mode de vie qui lui étaient totalement inconnus.

Mais Carrillo aura toujours préféré la fidélité des militants à leur sécurité. De fait, ce brave camarade ne dura pas longtemps à son poste : il fut arrêté quelques mois après son arrivée à Madrid, où j'ai duré dix ans.

Mon dernier voyage avait précisément pour but de présenter ce remplaçant aux quelques responsables qu'il avait absolument besoin de connaître personnellement pour assurer ses nouvelles tâches.

Pour ce dernier séjour, qui fut bref, je ne disposais plus de l'appartement que le parti m'avait attribué quelques années auparavant. Ce logement de fonction, si l'on peut dire, avait été assigné à Julián Grimau, qui avait déjà pris place dans le noyau clandestin du Comité central à Madrid, sous ma responsabilité jusqu'à ce que Santiago Carrillo m'en écartât, à la suite de nos divergences grandissantes.

Lorsque Grimau fut arrêté, en novembre 1962, quelques semaines avant mon dernier voyage, il n'utilisait plus mon appartement de la rue Concepción Bahamonde. Celui-ci avait été vendu et on en avait acheté un autre, rue Pedro Heredia, dans le voisinage. Mais la police franquiste, je n'ai jamais compris comment, découvrit cet appartement clandestin, après l'arrestation de Grimau : péripétie vraiment inhabituelle. Le couple de militants, María et Manolo Azaustre, qui s'occupaient déjà de mon appartement et qui avaient continué auprès de Grimau, furent arrêtés à cette occasion et demeurèrent de longues années en prison.

Ne disposant plus d'appartement, je fus obligé de trouver par moi-même un refuge pour ce dernier séjour. Ainsi, j'en étais revenu à la situation qui fut la même pour mon premier voyage, en 1953, au mois de juin, situation où je dus me débrouiller tout seul, l'appareil du PCE se bornant à falsifier – impeccablement d'ailleurs – un passeport tout à fait vrai fourni par un ami très cher, Jacques Gradov. Sans doute les responsables de l'appareil, avant de me fournir les documents d'une clandestinité durable, voulaient-ils tester mes capacités, ma détermination individuelles.

En tout cas, en 1962, je fis appel à Ángel González, pour les qualités que je lui connaissais de discrétion et de rigueur. De plus, Ángel disposait d'un logement assez vaste, bien situé, où il vivait seul.

J'y suis, justement, à l'une des fenêtres de la salle de séjour. Et je contemple distraitement la statue équestre du général Franco, de l'autre côté de la place Saint-Jean-de-la-Croix, se détachant sur la façade moderne et morne des Nouveaux Ministères.

J'entends derrière moi la porte de l'appartement qui s'ouvre et se ferme à la volée, le bruit de pas précipités dans le couloir.

Je me retourne, Ángel arrive, à bout de souffle.

– Il faut partir tout de suite ! crie-t-il. Mais tout de suite ! La police est sur tes talons !

J'avais connu Ángel dans le cercle des écrivains communistes de Madrid, un groupe où il y avait des romanciers et des poètes. Il y a toujours eu des poètes, dans les cercles d'écrivains communistes espagnols. Des poètes et des romanciers, souvent talentueux. Juan García Hortelano, par exemple, faisait aussi partie du cercle de Madrid.

Je demande à Ángel de s'expliquer.

Fébrilement, de façon un peu incohérente, il m'annonce la nouvelle : il tient de bonne source que la police sait où me trouver, qu'elle est sur le point de procéder à mon arrestation.

Il est clair, je n'ai aucun doute là-dessus, que la fébrilité d'Ángel n'est pas provoquée par l'inquiétude sur son sort personnel. Par une peur égoïste. Il ne craint rien pour lui, il ne pense pas aux risques qu'il a encourus en m'hébergeant. C'est mon sort qui le préoccupe, c'est le danger qui me guette, semble-t-il, qui le rend si nerveux.

Je lui demande de tout reprendre à zéro, de m'expliquer vraiment, dans un ordre logique, depuis le début.

Ángel González n'était pas seulement poète, l'un des meilleurs de sa génération, d'après moi – s'il n'apportait pas une si urgente et dangereuse nouvelle, si nous avions davantage de temps pour les digressions et les chemins de traverse, joies de tout narrateur digne de ce nom, je pourrais ici traduire et commenter certains de ses poèmes – mais ce n'est pas ça qui l'aurait fait vivre. Il était surtout fonctionnaire du ministère des Travaux publics, ce qui lui assurait un salaire, sinon décent du moins régulier. C'était pratique, également : il lui suffisait de traverser la place Saint-Jean-de-la-Croix, en passant devant la statue équestre du général Franco, pour regagner son bureau.

Parmi les rédacteurs ministériels qui se réunissaient tous les jours, à l'heure de l'apéritif ou du café, et parfois à l'une et à l'autre, les normes de rendement n'étant pas épuisantes dans les ministères franquistes – sachant pertinemment que ses salaires étaient insuffisants, l'État tolérait le cumul des emplois publics, et fermait aussi les yeux sur les intrusions dans le privé ; personne ne vivait d'un seul salaire, dans les classes moyennes inférieures de cette époque-là –, parmi les rédacteurs, donc, assidus au cercle amical qu'on appelle « *tertulia* », il n'y avait pas seulement des romanciers et des poètes, il y avait aussi un jeune policier. Celui-ci, avec une ingénuité désarmante, racontait à ses collègues, à l'heure de l'apéritif ou du café, ou à l'une et à l'autre, selon l'intérêt des affaires qu'il était chargé de suivre, les péripéties des enquêtes ou investigations auxquelles il participait. Ainsi, il y a quelque temps, il leur avait annoncé qu'on l'avait muté à la Brigade d'investigation sociale, dénomination officielle de la police politique. Il avait été rattaché à la section qui s'occupait des milieux universitaires de Madrid, constamment agités et dissidents depuis 1956.

– Or voici qu'aujourd'hui, il y a une heure à peine, disait Ángel, ce type arrive dans le café où nous sommes réunis pour l'apéritif, tout excité, et il annonce à voix basse qu'ils sont sur les talons de Federico Sanchez. À ceux des « tertuliens » à qui ce nom ne dit rien, poursuit Ángel González, il explique qui est Federico Sanchez, un des principaux dirigeants du PCE en Espagne, que la police recherche activement, inlassablement, mais vainement, depuis la révolte universitaire de 1956, ça fait un bail! «Et voilà, nous l'avons!» s'est exclamé le policier, me dit Ángel. «Nous savons qu'il vient d'arriver à Madrid, nous savons où il habite cette fois-ci, nous sommes sur le point de l'arrêter! » Il faut que tu partes immédiatement, conclut-il. J'ai prétendu que je devais déjeuner avec ma mère et je me suis tiré pour te prévenir. Heureusement que j'habite si près!

Je m'efforce de le calmer. Je lui souligne quelques invraisemblances de ce récit policier.

– Il est possible, lui dis-je, que la Brigade sociale ait eu vent de mon arrivée à Madrid. J'ai vu beaucoup de monde en peu de jours, dans des milieux très divers. Quelque militant peut avoir été bavard, peut s'être vanté de m'avoir rencontré. Mais personne ne sait que je suis chez toi, Ángel! Même pas les autres dirigeants du Comité central qui sont à Madrid... En as-tu parlé, toi? À une femme, à un ami proche?

Il nie catégoriquement.

– Je n'en ai même pas parlé avec moi-même, affirme-t-il.

Je vois bien qu'il dit la vérité.

– D'autre part, lui dis-je, s'ils savent où je suis – s'ils savent que j'habite chez toi, donc – crois-tu que ce type le dirait devant toi ? Te le dire, c'est faire échouer l'arrestation…

– C'est peut-être ça qu'il cherche, me dit Ángel, c'est peut-être un type bien qui essaie de faire passer un message !

Je hoche la tête, négativement.

– Il y a des types bien dans toutes les administrations, tous les services de l'État, même à des niveaux assez élevés… Mais je peux te garantir qu'il n'y en a pas encore un seul dans la police politique !

– Qu'est-ce qu'on fait, alors ?

– Rien, lui dis-je. Je m'en vais demain. Une voiture sera là, tout près, demain, à onze heures du matin. Je n'ai plus personne à voir. Je voulais aller au Prado, une dernière fois cet après-midi. Mais je ne bouge pas.

Je le regarde.

– À moins que tu préfères que je m'en aille, lui dis-je. Je peux utiliser mon passeport français et aller passer la nuit à l'hôtel. Au Ritz, par exemple. Depuis le temps que j'ai envie de dormir une fois au Ritz !

– Non, dit-il. Restons ici, tranquilles. On peut se faire des sandwichs, il y a de quoi. Et puis tu m'expliques calmement ce qui se passe dans le parti, de quoi ça discute, pourquoi on te remplace…

Je l'interromps.

– C'est une longue histoire, lui dis-je.

– Tant mieux, dit-il, j'aime les longues histoires !

Vingt-cinq ans plus tard, à Madrid, j'assistais à une réception diplomatique, je ne sais plus dans quelle ambassade. Je faisais pour lors partie du gouvernement de Felipe González, au ministère de la Culture. Un homme d'une quarantaine d'années s'est approché de moi. J'avais déjà remarqué cet inconnu qui guettait visiblement une occasion de s'adresser à moi. Sans doute attendait-il que je sois moins entouré.

J'avais gardé cette habitude de la clandestinité : toujours surveiller mon alentour ; toujours un œil sur mes voisins, leurs mouvements, leur allure. Tant d'années plus tard, même dans une ambassade, même protégé par un garde du corps, même longtemps après la mort de Franco – dont les statues équestres, pourtant, étaient encore visibles, ici ou là ! – j'avais gardé cette habitude, sorte de réflexe conditionné, malgré la disparition des conditions qui en avaient provoqué l'apparition.

Cet homme d'une quarantaine d'années était porteur de la fine moustache que le peintre Eduardo Arroyo a immortalisée dans une série de portraits : la moustache du macho hispanique, homme de pouvoir ou séducteur suffisant.

Visiblement, il attendait l'occasion propice pour s'approcher de moi. La voilà, je suis momentanément seul. Le voilà, il s'approche à grands pas.

– Monsieur le ministre, me dit-il, je suis Untel, inspecteur de police !

C'est une des possibilités que j'avais envisagées, qu'il fût policier.

Je ne dis rien, je ne lui tends pas la main, j'attends la suite, elle vient.

– Mon premier travail, en tant qu'inspecteur, ça a été de vous suivre !

Je m'étonne, lui demande de préciser.

Voilà, il venait de réussir ses concours d'entrée. Il avait été admis dans les rangs de la police. Il a été convoqué, on lui a confié sa première mission : c'était de me suivre.

– En quelle année ? lui ai-je demandé, le plus sèchement possible.

Il me donne une date du début des années 70.

Je lui éclate de rire au nez.

– En 1972, lui dis-je, vous n'aviez aucun mérite, et ça n'avait aucun intérêt… J'avais un vrai passeport, je voyageais légalement… C'est avant cette date qu'il aurait fallu me suivre…

Il n'en disconvient pas. Il m'explique pourtant sa petite histoire, qui ne manque pas d'un certain piquant.

Il avait donc été convoqué à la Direction générale de la Sûreté. On lui avait donné mon vrai nom, on lui avait dit que j'avais été Federico Sanchez, annoncé que j'allais arriver le lendemain, en provenance de Paris, par un vol d'Air France, tel numéro, telle heure. Qu'il fallait me surveiller, me prendre en filature, mais ne pas intervenir, quoi qu'il arrive, qu'il fallait simplement noter les noms de toutes les personnes que je rencontrerais. Voilà tout : la police voulait savoir qui je fréquentais à Madrid.

Après mon exclusion du PCE, j'avais demandé un passeport au consulat d'Espagne à Paris. Pendant des années, ce passeport me fut refusé, mais je continuais à insister, demandant aussi à des amis – en premier lieu à Luis Miguel Dominguín, le célèbre torero, frère d'un militant qui me fut très proche et très cher, Domingo – d'intercéder en ma faveur, ce qu'il fit d'ailleurs sans hésiter. Trois ans plus tard, soudain, le consulat d'Espagne me convoqua pour m'annoncer qu'ils avaient l'autorisation de me fournir un passeport. Il fallait cependant, disait le fonctionnaire qui me reçut, qu'il me transmette l'avertissement de Madrid : c'était à mes risques et périls. *Por su cuenta y riesgo...* J'ai expliqué au consul que j'avais tout fait, toute ma vie, à mes risques et périls, rien de nouveau, donc : allez, qu'il me donne ce foutu passeport !

D'une certaine façon, ça ne m'étonnait pas d'avoir été surveillé, lors de mes séjours en Espagne. Ce qui me surprenait cependant, c'est que cette surveillance – par ailleurs discrète et habile, je n'ai jamais rien remarqué – ait duré si longtemps, près de cinq ans.

Bon, j'en savais assez, j'ai renvoyé cet inspecteur de police.

Voilà pourtant qu'il revient vers moi, quelques minutes plus tard. Il n'est plus seul, il est en compagnie d'un type plus âgé, dont le visage me dit quelque chose. J'ai l'impression d'avoir déjà vu ce visage dans la presse, ou bien filmé à la télévision. C'est un visage qui me dit quelque chose, qui évoque des souvenirs : plutôt déplaisants, d'ailleurs.

L'inspecteur ne me laisse pas longtemps dans le doute, dans le flou d'une impression désagréable.

– Monsieur le ministre, je vous présente le commissaire B.

Il est visiblement heureux de présenter l'une à l'autre deux personnalités : un ministre et un fameux commissaire en fin de carrière.

Le commissaire B. est, en effet, une personnalité. Il a été le dernier chef de la police politique, la redoutable

«Brigade sociale», de la dictature franquiste. En raison de son indéniable compétence dans la lutte contre le terrorisme d'ETA, la démocratie espagnole, à ses débuts, avait continué à l'utiliser, discrètement, avec un statut de conseiller au renseignement.

Le commissaire B. me regarde. Je lui renvoie le même regard froid, le même silence.

Celui qui n'arrive pas à se taire, c'est l'inspecteur à l'hispanique moustache. Il est toujours volubile.

– J'étais en train d'expliquer au ministre, monsieur le commissaire, que mon premier travail professionnel, ça a été de le suivre…

L'autre l'interrompt, tout en me regardant. Il y a une étrange flamme dans son œil.

– Oui, dit-il sèchement. Le ministre est quelqu'un que nous avons beaucoup suivi…

Je m'apprête à le démentir, mais il me devance, ne m'en laisse pas le temps.

– Je veux dire : quelqu'un que nous avons beaucoup essayé de suivre !

Il s'arrange pour souligner le mot «essayé» : *intentado.*
Mejor dicho : alguien que hemos intentado seguir mucho…

On était toujours face à face, on se regardait toujours dans les yeux.

– Commissaire, lui ai-je dit, c'est le meilleur compliment qu'on puisse me faire… Celui que je préfère, en tout cas !

Mais il ne fallait pas que ça s'éternise. Il ne fallait surtout pas qu'il s'imaginât qu'on pouvait avoir tous les deux une paisible conversation. La transition de l'Espagne vers la démocratie avait eu, entre autres causes, le double moteur, la double motivation, extraordinairement efficace, fertile – au moment même, du moins – de l'amnistie et de l'amnésie, surgies toutes deux des profondeurs de la volonté populaire.

À ce moment-là, pourtant, je ne voulais rien oublier. Rien pardonner, non plus.

– Commissaire, vous pouvez disposer, lui ai-je dit.

Je lui ai tourné le dos et je me suis souvenu d'Ángel González, bon poète, bon camarade. Je me suis rappelé les dernières heures de Madrid, en sa compagnie, en 1962. *J'ai plus de souvenirs que si j'avais mille ans*, me suis-je dit. C'est une chance, d'une certaine façon : tant que les souvenirs affluent, le sang continue de battre.

Ainsi, de ma vingtième à ma quarantième année, j'aurai régulièrement été confronté à la possibilité d'une arrestation. Deux décennies : années de formation, de maturation (*Bildungsjahre*, selon la pertinente expression allemande) face à la probabilité plus ou moins lointaine, parfois immédiate, d'une arrestation – de la torture, en conséquence. Deux décennies à vivre hors la loi, en marge de celle-ci, du moins, avec de faux papiers.

Certes, dans la deuxième décennie de cette vie clandestine, si j'avais été arrêté dans un aéroport parisien, au retour d'un voyage dans un pays de l'Est (au retour de Prague, normalement, cette ville ayant été pendant toutes ces années la base logistique du PCE au-delà du rideau de fer, ce qui était une chance, d'un double point de vue : d'abord, parce que Prague était une ville d'une admirable beauté, que je ne me lassais pas de parcourir dans ses profondeurs les plus secrètes ; et ensuite, parce que les séjours à Prague, souvent brefs, mais qui furent nombreux, à partir de 1954, ont contribué à enrichir ma vision du monde, en la nuançant, en contredisant l'optimisme béat, borné, du dogme communiste ; arrivant de Madrid ou de Paris, en effet, Prague m'offrait, au-delà de sa beauté passéiste et pathétique, le spectacle de la grisaille du socialisme réel : grisaille des vêtements, des vitrines, des visages, des humeurs, du discours officiel. Il y avait de quoi se poser des questions. Mais en y arrivant au retour de Moscou, Prague m'offrait, par contraste, la diversité, même en déclin, la rutilance, même éteinte, de l'Occident européen ; en arrivant à Prague, en provenance de Moscou, j'avais l'impression de rentrer chez moi, ce qui n'était pas, on peut s'en douter, insignifiant), si j'avais été, donc, arrêté dans un aéroport parisien, au retour de Prague, un policier français ayant décelé quelque anomalie dans mon faux passeport – hypothèse peu probable mais qu'on ne pouvait écarter totalement –, les conséquences en auraient été sans doute fâcheuses mais non pas dramatiques.

De même si j'avais été arrêté à Béhobie, par exemple, du côté français, en franchissant la frontière espagnole dans un sens ou dans l'autre.

Quoi qu'il en soit, au début de ces décennies hors la loi, dans l'euphorie de la jeunesse, des années d'apprentissage, j'ai eu tendance à considérer cette vie clandestine comme une sorte de privilège, comme un signe d'appartenance à une sorte de chevalerie, comme une singularité bienheureuse, assez tonique, qui me différenciait radicalement du commun des mortels. Je n'éprouvais pas le besoin de proclamer cette singularité, d'en tirer un avantage ou bénéfice quelconque, sur aucun plan, dans mes rapports avec autrui. Je la savourais dans le silence de mon intimité, elle se suffisait à elle-même. C'était une richesse évidente mais inavouée, inavouable, un non-dit qui nourrissait mes illusions, mes convictions, mes rêves.

Ensuite, à mesure que le temps passait, que je m'habituais à ce statut, à ce mode de vie où le risque, l'imprévu, le danger, devenaient non seulement quotidiens mais encore routiniers, professionnels en quelque sorte ; à mesure également, impossible de ne pas en tenir compte, que l'illusion lyrique s'évanouissait, que la seule certitude à demeurer vivante, fertile, était celle de la nécessité, de la justesse et la justice de la lutte contre la dictature franquiste, même si elle n'aboutissait pas à une parousie révolutionnaire ; à mesure que la belle phrase d'Ernest Renan, *il se pourrait que la vérité fût triste,* prenait un relief accru dans mon esprit, surtout à partir de 1956 et du XXe congrès du PCUS ; à mesure que je vieillissais, tout simplement, peut-être, je cessai de considérer la singularité de ma vie comme une sorte de privilège, comme auréolée d'onction charismatique.

Car tout a une fin, même l'orgueil compréhensible, sans doute démesuré, d'une double vie pleine de risques assumés, de découvertes et de rencontres. Tout a une fin dans la vie, même les raisons de vivre. Mais pourquoi ne vivrait-on pas sans raisons ? Je veux dire, sans autre raison que celle de vivre, précisément, avec toutes ses conséquences. Une vie nouvelle, voici ce qui m'attendait sans autres raisons de vivre que celles de la vie même ; sans risque particulier, autre que celui de la mort même, risque si banal, si universel dans la vacuité de son évidence ontologique, qu'il ne pouvait fonder nulle expérience de vie singulière, hors norme.

Je pensais à tout cela en quittant Madrid, après mon dernier séjour clandestin.

II

Retour au Lutétia

Le bar du Lutetia était toujours dans la pénombre, moins propice toutefois : il s'était peu à peu rempli.

Il serait bientôt temps de songer à partir.

Pourquoi y étais-je entré, d'ailleurs ?

Je passe souvent devant cet hôtel. Mes itinéraires parisiens les plus habituels me font souvent traverser le carrefour où il se dresse : itinéraires de flânerie ou de travail, pédestres ou automobiles. Mais ce jour-là, aujourd'hui, en ce mois de juillet 2005, j'avais été intrigué par quelques panneaux d'affichage insolites, accolés aux lampadaires de l'éclairage public, au carrefour du boulevard Raspail et de la rue de Sèvres.

M'approchant de l'un de ces panneaux, j'ai pu constater que de brefs textes historiques et de nombreuses photographies y rappelaient l'éphéméride du retour des déportés survivants des camps nazis.

En juillet 1945, en effet, soixante ans plus tôt, le Lutetia avait été transformé en centre d'accueil pour ces revenants.

J'ai lu certains des textes, contemplé longuement les

photos. J'ai eu une sensation un peu déconcertante. J'avais beau savoir, d'un savoir absolu, sans incertitude possible, que je n'étais pas revenu de Buchenwald en 1945 par le centre d'accueil du Lutetia, certaines de ces images me semblaient évoquer des souvenirs personnels. J'avais l'impression d'avoir assisté moi-même aux scènes que reproduisaient les photos exposées, l'impression de reconnaître des visages qui s'y montraient.

Mais je n'étais pas revenu de Buchenwald par le Lutetia, je le savais bien.

Un jour de la fin du mois d'avril de cette année lointaine, Yves Darriet est apparu soudain, à bout de souffle.

– Qu'est-ce que tu fous là? criait-il. Je te cherche partout!

Yves était mon plus vieux copain français de Buchenwald. Nous étions arrivés à la même époque de Compiègne, peut-être par le même convoi. En tout cas, nous nous sommes retrouvés et connus dans le même block de quarantaine, au 62.

Il arrivait en courant, à bout de souffle.

Moi, j'étais assis sur l'herbe printanière, dans le petit bois qui entourait les baraques du *Revier*, l'infirmerie du camp. Je regardais la plaine de Thuringe, dehors, au-delà des barbelés, des miradors abandonnés par les SS depuis l'arrivée des soldats américains, le 11 avril.

Au soleil, je regardais la plaine de Thuringe, le village tout proche d'Hottelstedt, les fumées domestiques.

– Je ne fous rien, lui dis-je, je regarde!

Il fait de même, visiblement surpris, il regarde le paysage.

– Tu regardes quoi ? Y a rien à voir !

Je le détrompe.

– Mais si, voyons ! Il y a à voir le dehors ! Nous sommes toujours dedans et voilà le dehors !

Il s'agite.

– Justement : le dehors ! On y va, Gérard... On peut rentrer à Paris tout de suite... T'es prêt ?

Je me suis dressé d'un bond. J'étais prêt, bien sûr : me voici !

Il m'entraîne, il m'explique.

Une mission française de rapatriement, celle de l'abbé Rodhain, était arrivée à Buchenwald : une organisation de secours catholique. L'un de ses camions repartait vers Paris, là, tout de suite. Il m'avait réservé une place dans ce véhicule, à ses côtés. Il me cherchait partout depuis une heure, m'avait trouvé par hasard.

Voilà, on s'en allait tout de suite, ensemble.

Mais nous ne sommes pas rentrés par le Lutetia.

Dans notre cas, les formalités administratives d'identification avaient eu lieu au camp de rapatriement de Longuyon, peu après le passage de la frontière entre le Luxembourg et la France. Ensuite, le camion de la mission Rodhain nous avait débarqués à Paris, rue de Vaugirard, d'où chacun de nous avait regagné ses pénates.

Enfin, dans mon cas, «pénates» c'est façon de parler ; inutile de revenir là-dessus.

Les semaines qui suivirent, cependant, j'étais parfois venu au Lutetia, pour avoir des nouvelles de mes copains espagnols de Buchenwald, qui tardaient à réapparaître. Une fois, j'y ai retrouvé Yves Darriet, à la recherche lui-même de je ne sais plus qui. Nous avons bu une bière ensemble, nous nous sommes promis de nous revoir.

D'ailleurs, nous avons tenu cette promesse.

Au bar du Lutetia, soixante ans plus tard, je me suis souvenu d'Yves Darriet.

Quelques semaines avant ma découverte des panneaux d'affichage commémorant le retour des déportés en 1945, une lettre m'était arrivée.

Elle était datée du 18 mai 2005, mais elle avait tardé à me parvenir. Ou plutôt, j'avais tardé à la découvrir, car elle avait été envoyée, je ne sais pourquoi, à l'adresse d'une maison que je possède près de Nemours, dans le Gâtinais, où je n'avais pas mis les pieds pendant longtemps.

Quoi qu'il en soit, cette lettre m'attendait à Garentreville.

Avant même de déchiffrer le nom et l'adresse de mon correspondant, de commencer la lecture du texte tapé à la machine, écrit en allemand, j'ai remarqué la qualité du papier. Sa mauvaise qualité, je veux dire, l'étrange consistance du papier jaunâtre, sottement brillant, typique de la production des anciens régimes de l'Est.

Ainsi, avant même de savoir de quoi il était question dans cette missive, j'ai deviné qu'elle provenait d'une ancienne «démocratie populaire».

En effet, la lettre avait été postée à Olomouc, en République tchèque.

J'eus le temps de penser que ce n'était pas très rassurant. Si peu de progrès, en quinze ans, du moins quant à la fabrication d'un papier à lettres convenable, vraiment pas rassurant!

L'auteur de cette lettre s'appelait Miroslav Hajtmar. Il donnait son adresse – *Karolíny Světlé 6, Olomouc 779 00* – et il précisait entre parenthèses qu'il était un ancien déporté de Buchenwald (*ehemaliger Häftling im KZ Buchenwald, Nummer 42768*).

À voir ce matricule, je pouvais déduire que Hajtmar était probablement arrivé au camp durant le deuxième semestre de l'année 1943. Quelques semaines avant moi, sans doute. Mon expérience de travail sur le fichier central du camp me permettait de faire cette hypothèse.

Mais ce nom, ce numéro de matricule ne me disaient rien, ne me rappelaient rien. Hajtmar ne faisait pas partie du groupe de copains tchèques dont je pouvais me souvenir.

Le plus intéressant, cependant, pour moi du moins, c'était qu'il avait été musicien dans l'ensemble de jazz que Jiri Zak avait créé à Buchenwald. Il y avait joué, me disait-il, du saxo et de la clarinette. *Was mich betrifft, ich habe in diesem Big Band Saxophone und Klarinette gespielt...* Mais il ne s'étend pas sur cette activité musicale – doublement clandestine, puisqu'il fallait que l'orchestre de jazz répète à l'insu et des SS, qui haïssaient cette musique «dégénérée», et des vétérans communistes allemands, qui détestaient cette musique de la «décadence impérialiste» –, il ne s'étend pas car il sait que j'en ai moi-même longuement parlé.

Il avait, m'écrivait-il, été un lecteur attentif de certains de mes livres : *fleissiger Leser ihrer schriftstellerischen Arbeiten* «L'écriture ou la vie» *und «Der Tote mit meinem Namen»*...

Aura-t-il lu en français le premier des livres cités? Hajtmar en mentionne le titre original. Pour le deuxième, il donne celui de la traduction allemande du *Mort qu'il faut*.

L'essentiel n'est pas là, bien entendu.

L'essentiel est que Miroslav Hajtmar, déporté tchèque, clarinettiste et saxophoniste de l'orchestre de Jiri Zak, m'envoyait dans sa lettre un document exceptionnel : une photocopie du programme du concert que cet ensemble avait présenté publiquement, après la libération de Buchenwald par la IIIe armée américaine de Patton.

Exactement, le 19 avril 1945.

À la fin dudit programme, rédigé en anglais – sans doute à l'intention des soldats américains – on peut lire : *Leader of the Band : Ives Darriet, France.*

Voilà : il y avait longtemps que Darriet n'était pas réapparu dans ma mémoire, dans ma vie. Mais il tombe bien, il est à l'heure. Il me pousse, lui aussi, à commencer ce travail d'écriture.

De réécriture, plutôt.

Le jour où j'ai trouvé la lettre de Miroslav Hajtmar, il faisait beau. Le jardin de Garentreville était fleuri. Dans l'espace gazonné entre les deux ailes en L de la maison, on pouvait se tenir, comme dans un poème de José-Maria de Heredia, *à l'ombre de la voûte en fleur des catalpas...*

Lorsque j'ai ouvert l'enveloppe pour en extraire le texte tapé à la machine sur l'étrange papier, souvenir du «socialisme réel», un autre feuillet s'en est échappé : la photocopie du programme ronéotypé du premier concert RHYTHMUS, tel en était le titre, et ce mot en lettres capitales était entouré de dessins d'instruments de musique.

L'en-tête était rédigé en trois langues : en tchèque, en anglais et en français.

Concert de jazz dans le libre Buchenwald, disait la version française.

Suivait l'énumération des morceaux joués par l'orchestre à cette occasion.

Chinatown, Solitude, Caravan, In the Mood, A Tisket a Tasket, Tiger Rag, entre autres.

Dans la seconde partie du concert, il y avait aussi eu des chansons : *Ménilmontant* et *La polka du roi.*

Je me suis souvenu du très jeune déporté qui chantait ces chansons lors des veillées organisées dans les blocks français, pendant le rude hiver 1944-45. Et voilà que son nom apparaissait dans le programme ! Un nom que je n'avais jamais su, là-bas, autrefois. Un nom que je découvrais soixante ans plus tard. Il était dans le programme que m'envoyait Hajtmar, le musicien tchèque de l'ensemble de jazz de Buchenwald créé par Jiri Zak, communiste, membre de l'appareil de résistance clandestin, mort en exil à Hambourg, ayant fui son pays après l'invasion des troupes soviétiques et la « normalisation » du Printemps de Prague, en 1968.

J'avais ignoré ce nom, le programme me le faisait enfin savoir : *Vocal, Widerman, France.*

Il s'appelait donc Widerman, le jeune déporté français tellement doué, qui bouleversait ses camarades en leur chantant les succès de Charles Trenet.

Ménilmontant, mais oui, madame...

Un dimanche parmi les derniers dimanches de cet hiver-là, le dernier hiver, le plus rude hiver de toutes ces années-là, nous avons entendu la voix du jeune Français sur le circuit des haut-parleurs du camp. Sans doute, l'un des *Lagerältester*, des doyens de Buchenwald – poste le plus élevé dans la hiérarchie de l'administration interne des déportés – ou quelque autre vétéran communiste allemand, peut-être le kapo de l'*Arbeit*, Willi Seifert – il en était bien capable! – avait dû convaincre l'officier SS, le *Rapportführer*, de laisser chanter Widerman, puisque tel était son nom.

Ce serait bon pour le moral des Français, avait-il dû lui dire, d'entendre chanter dans leur langue, ça les changerait des sempiternelles chansonnettes allemandes de Zarah Leander! Or ce qui était bon pour le moral était bon pour la productivité des déportés. Et la productivité des Français, c'était notoire, était l'une des plus faibles dans les usines d'armement Gustloff ou DAW. Il n'y avait guère que les Russes à être encore moins productifs!

C'est probablement avec des arguments ou arguties de cette sorte, aussi spécieux, que le *Lagerältester* – peut-être Hans Eiden – avait réussi à persuader le *Rapportführer* de laisser Widerman chanter *Ménilmontant* sur le circuit des haut-parleurs.

En tout cas, un dimanche, vers midi, alors que les déportés, par milliers, au garde-à-vous, se tenaient sur la place d'appel, soudain, l'un des derniers dimanches de ce terrible hiver, la voix du jeune Widerman avait éclaté : *Ménilmontant, mais oui, madame...*

Une sorte de frémissement à peine perceptible, de halètement, de sourd sanglot de bonheur, a parcouru la foule des déportés. La plupart ne comprenaient pas la langue, certes : le sens exact des paroles leur échappait probablement. Mais c'était une chanson française, au rythme vif, entraînant, ça suffisait.

Ainsi, soudain, pour ces milliers d'Européens de toute origine – des Russes, des Polonais, des Tchèques, des Hongrois, des Espagnols, des Néerlandais, tous les Européens étaient là, en somme, il ne manquait que les Anglais, bien sûr, pour cause de liberté insulaire –, pour ces milliers de déportés, dans leur immense majorité combattants des maquis et des mouvements de résistance, la chanson de Trenet a soudain symbolisé la liberté : son passé de joies et de combats, son proche avenir victorieux.

On sait, toutes sortes de témoignages et de documents l'attestent, que les déportés français ont dû s'imposer, dans les camps nazis, et à Buchenwald en particulier, auprès de leurs compagnons d'infortune – s'imposer moralement, s'entend – par leur courage et leur esprit de solidarité, afin de changer, de modifier, du moins, l'exécrable réputation politique de la France parmi les citoyens des pays du centre et de l'est de l'Europe – exécrable réputation due à ce qu'ils considéraient tous comme une trahison, un abandon, un renoncement égoïste et craintif : la capitulation de Munich devant les exigences de l'Allemagne hitlérienne.

Pourtant, malgré ce sentiment généralisé de déception ou de rancœur, malgré cet affaiblissement du prestige moral de la France, pour avoir abandonné en 1938 la jeune République tchèque qu'elle-même avait décisivement aidée à naître sur les débris des Empires du Centre après 1919, malgré ce contentieux historique, Paris restait la Ville lumière.

Ou plutôt : Ville des Lumières.

Pendant mon séjour à Buchenwald, des témoins m'ont

décrit l'épouvantable silence de deuil qui s'est abattu sur les camps nazis, en juin 1940, lorsque la nouvelle de la chute de Paris s'y est répandue. D'autres témoins, plus tard – le récit de Gustaw Herling, dans ce livre prodigieux qu'est *Un monde à part*, en est un exemple –, m'ont rapporté le déferlement d'un silence similaire, au même moment, dans les prisons et les camps soviétiques.

Moi-même, quelques mois auparavant, en août 1944, j'avais assisté à un événement comparable, bien que de signification exactement contraire. J'avais assisté – nul ne songea, ce jour-là, à regarder avec condescendance les camarades français ! – à la joie qui avait éclaté à Buchenwald le jour où fut connue la nouvelle de la libération de Paris.

Ménilmontant, mais oui, madame...

La jeune voix de Widerman, dont je viens d'apprendre le nom, soixante ans plus tard, par hasard – mais y a-t-il du hasard dans le concours de coïncidences qui sont toujours dans ma vie à l'origine d'un effort d'écriture ? –, la jeune voix de Widerman a fait passer sur des milliers d'hommes figés au garde-à-vous le souffle de la liberté.

Mais il n'y avait pas que le nom du jeune chanteur français que j'apprenais en lisant le programme du concert envoyé par Miroslav Hajtmar.

De fait, à part celui de l'un des saxos, Markowitch, grand gaillard français d'origine serbe, cordial et combatif, que j'avais bien connu, tous les autres noms des musiciens de l'orchestre étaient nouveaux pour moi. Sans doute aurais-je reconnu la plupart d'entre eux, les aurais-je identifiés si je les avais rencontrés, mais j'avais ignoré leurs vrais noms.

Ainsi apprenais-je, soixante ans plus tard, que le batteur belge s'appelait Verdenne ; le premier guitariste tchèque,

Muzik; le deuxième, néerlandais, Tase. Et le pianiste allemand, Goldschmidt.

Mais j'avais oublié le concert du 19 avril 1945.

Cela ne me surprend pas outre mesure, d'un certain point de vue. J'ai déjà dit quelque part – mais je peux le répéter, tellement cette vérité est à la fois singulière et inépuisable – que la brève période de ma vie, ces quinze longs jours qui séparent celui de la libération du camp, le 11 avril, de celui de mon arrivée à Paris, le 30, à la veille du défilé populaire du Premier Mai, ces deux semaines se sont pour ainsi dire effacées de ma mémoire.

Parfois, certes, des visages, des épisodes, plutôt brefs mais très précis, auréolés d'une lumière intense, ont émergé de l'oubli. C'est autour d'eux, de certains d'entre eux, en tout cas, que j'ai reconstruit mon expérience, dans les récits du *Grand voyage*, de *L'écriture ou la vie*.

Mais quand je mets ces bribes de souvenirs bout à bout, ou les étale devant moi – je veux dire : dans le champ visuel et conceptuel de mon travail de mémoire – comme les pièces désordonnées d'un puzzle, je n'arrive à remplir d'événements plausibles qu'une poignée d'heures de temps réel. Quelques îlots de temps retrouvé dans un brouillard confus, dans un océan d'oubli involontaire mais têtu : obtus, opaque, inexplicable.

En tout cas, aucun effort d'anamnèse – exercice pour lequel, pourtant, je suis assez doué – ne m'a jamais permis d'arracher au néant un souvenir personnel du concert public de l'ensemble de jazz de Jiri Zak, qui s'est tenu le 19 avril 1945.

Je sais que c'est vrai, je n'ai aucune raison de mettre en

doute le document que m'a envoyé Miroslav Hajtmar. Il y a dans ce programme suffisamment d'éléments dont je puis certifier la vérité – à commencer par les noms de Darriet et de Markowitch, que j'ai connus l'un et l'autre – pour que je ne doute pas de la vérité de l'ensemble. Par ailleurs, les morceaux choisis pour ce concert dont je ne me souviens pas sont bien ceux que Zak aimait à faire jouer par ses musiciens.

Mais où ce concert avait-il eu lieu? Le programme que m'envoyait Hajtmar ne mentionne pas ce détail. Il se limite à dire en trois langues, en tchèque, en français et en anglais – je cite la version française, car je ne peux garantir l'exactitude de la version tchèque et que l'anglaise est manifestement incorrecte : *Jazz Concert in the deleberated* (sic) *Buchenwald,* y écrit-on sans complexe – en français donc : «Concert de Jazz dans le libre Buchenwald».

Soit, mais où, précisément?

Sur la place d'appel, peut-être. Du côté où se trouvaient la baraque de l'*Arbeitsstatistik* et le bâtiment du crématoire? Ou bien du côté opposé, où se trouvait la cantine, ainsi que le sinistre édifice du manège, dont nous savions qu'il abritait une fausse installation de douches, vrai lieu de supplice où l'on abattait d'une balle dans la nuque les officiers et les commissaires politiques de l'armée Rouge?

Ou peut-être encore dans la grande halle du Kino, qui servait aussi bien, comme son nom l'indique, pour des séances dominicales de cinéma – fort rares, il faut dire – que pour rassembler par trop mauvais temps les déportés convoqués pour quelque départ massif en transport, vers Dora, Ohrdruf, ou toute autre destination mortifère?

Je ne sais pas, je ne me souviens plus.

Par ailleurs, les documents que j'ai à ma portée, dont je peux me servir sur-le-champ pour reconstruire la séquence des événements, lors de la libération de Buchenwald, ne me sont d'aucune utilité. Aucun de ces documents ne réveille ma mémoire, ni ne la rafraîchit : aucun ne mentionne ce concert de jazz, en effet.

Pour la date du 19 avril 1945, ces documents se bornent à rappeler le rassemblement de tous les survivants sur la place d'appel, l'approbation massive, enthousiaste, d'un message antifasciste à l'opinion publique des pays alliés, message connu dans l'historiographie partisane de l'Allemagne de l'Est comme le « Serment de Buchenwald » ; un texte inspiré par les dirigeants communistes allemands du Comité international, jusque-là clandestin.

Ainsi, je retrouve plein de détails sur ce « serment » du 19 avril, mais aucun sur le concert de l'ensemble de jazz de Jiri Zak, qui aura lieu le même jour.

Ils ne sont pas anodins, cependant, les documents de diverse origine qui me sont accessibles. Ils sont même loin de l'être ! Ils ne mentionnent pas le concert du 19 avril, c'est vrai, mais à les examiner de nouveau, ils me font rêver.

Un récit se met en place de lui-même, une sorte de nébuleuse narrative, mélangeant fiction possible et réalité historique.

Egon W. Fleck et Edward A. Tenenbaum pourraient-ils être des personnages de ce récit ?

Ils méritent de l'être.

Ils mériteraient d'accéder au statut privilégié des personnages romanesques, dont la vérité ne peut être contestée.

Qui aurait l'outrecuidance, ou l'obtuse arrogance de contester, mettons, l'existence de Fabrice del Dongo? Ou de Julien Sorel? La même aventure pourrait arriver à Fleck et Tenenbaum : ils ont toutes les qualités requises pour devenir personnages de roman.

Il suffirait de s'y décider. Il suffirait d'imaginer la vérité d'une fiction à partir des documents de la réalité.

Egon W. Fleck et Edward A. Tenenbaum sont les premiers Américains à parvenir aux alentours de Buchenwald, à pénétrer dans l'enceinte même du camp, le 11 avril 1945, à 5 h 30 p.m.

Fleck était un civil et aucun document à ma portée ne me permet de savoir pourquoi il était là, sur l'Ettersberg, dans une jeep de l'armée, avec Tenenbaum, qui avait, lui, toutes les raisons d'être là, puisqu'il était premier lieutenant.

Fleck était-il un journaliste? Un civil chargé de quelque mission spéciale? Quoi qu'il en soit, même si nous ne savons rien d'autre à leur sujet, rien sur leur vie personnelle, ils furent les premiers Américains à rouler sur la route d'accès au camp de Buchenwald.

Alors, dites ces noms juifs, redites-les et retenez vos larmes, retenez vos rires, larmes et rires d'émotion, d'allégresse jubilatoire, à constater cette revanche rusée de l'Histoire, cette énorme blague, ce pied de nez ontologique : Fleck et Tenenbaum, Juifs américains, à l'avant-garde de la IIIᵉ armée de Patton, roulant en jeep vers le camp nazi de Buchenwald!

On n'aurait pas osé l'inventer dans un roman.

Mais on peut trouver leur rapport dans les Archives nationales américaines, sous la cote RG 331, SHAEF G-5, dossier 10 : rapport daté du 24 avril 1945 et portant le titre *Buchenwald : A Preliminary Report*.

On pourra y lire le paragraphe suivant :

«Nous avons tourné pour atteindre une sorte d'auto-route et là nous avons vu soudain des milliers d'hommes en haillons, d'aspect famélique, marchant vers l'est en formations serrées, disciplinées. Ces hommes étaient armés et ils avançaient, flanqués par leurs chefs. Certains détachements étaient en possession de fusils allemands, d'autres portaient sur leurs épaules des *panzerfaust*...», Fleck et Tenenbaum utilisent le mot allemand pour bazooka qui est un mot américain, devenu universel, pour désigner une arme antichar qui n'a pas de dénomination française, «... d'autres portaient des grenades à manche. C'étaient les déportés de Buchenwald, marchant au combat, pendant que nos blindés les dépassaient, roulant à cinquante kilomètres à l'heure...»

Et c'est là que ça devient romanesque.

Car c'est là que j'apparais dans ce récit. Je veux dire : la possibilité concrète de mon apparition réelle s'inscrit bien ici, à cet endroit précis du rapport de Fleck et Tenenbaum, à ce tournant de la route de Buchenwald à Weimar.

J'étais là, en effet, réellement parmi les déportés porteurs de *panzerfaust*, ou de bazookas, si on doit être immédiatement compris.

Et c'est précisément l'intrusion du réel qui rend le rapport des deux Américains si romanesque. Je suis le réel, imaginez-vous ! J'ai vingt ans, la mort commence à s'éloigner de moi, ce jour-là. C'est mon apparition concrète, en chair et en os (peu de chair, sans doute, beaucoup d'os : ils l'ont noté, nos deux lascars, en anglais, bien sûr ! Ils ont écrit, pour parler de nous, « *hungry-looking men* »), c'est le jaillissement fantomatique mais impérieux du réel qui rend soudain si romanesque le récit de Fleck et Tenenbaum.

Certes, ils ne m'ont pas vu, ne m'ont pas distingué, du moins, dans la foule des déportés en formation de combat, sur la route de Weimar. Comment l'auraient-ils pu, d'ailleurs? Moi non plus je n'ai pas isolé dans mon regard, retenu dans la rétine de la mémoire, l'image de cette jeep roulant vers l'entrée monumentale de Buchenwald, le 11 avril, au début de l'après-midi.

Mais j'étais là.

Je peux certifier qu'ils ont bien vu ce qu'ils ont regardé même si on ne s'est pas vus nous-mêmes. Je peux raconter l'envers de leur récit, l'autre côté du vécu, donnant ainsi une dimension de vérité romanesque à cet événement, à ce témoignage qui se serait sinon probablement évanoui; enfoui, au mieux, dans la poussière des archives.

Car j'étais là, parmi les déportés en armes. Et je portais sur mon épaule un bazooka.

« *Panzerfaust* », disent-ils, curieusement, Fleck et Tenenbaum. Ils écrivent pourtant leur rapport en anglais, ce qui est logique, qui va de soi, puisque c'est leur langue habituelle. Leur langue militaire, en tout cas. Ils avaient donc le mot « bazooka » à leur disposition. Un mot américain dont j'ignore l'origine, l'étymologie, mais qui semble être devenu universel pour désigner cette arme individuelle.

Et sans doute le fait d'employer le mot allemand n'est-il pas dépourvu de signification, en fin de compte. Peut-être apporte-t-il quelque lumière sur la vie antérieure de Fleck et de Tenenbaum. Si le mot « *panzerfaust* » leur vient spontanément sous la plume, même lorsqu'ils écrivent en anglais, peut-être est-ce parce que ces Juifs américains, quel qu'ait été leur parcours personnel, étaient issus d'une lignée juive germanique. Peut-être étaient-ils des Juifs américains d'une plus ou moins récente filiation germanique, ce qui expliquerait le naturel de leur recours au mot allemand « *Panzerfaust* ».

Poing antichar, en traduction littérale. Mais il est vrai que bazooka n'a pas besoin de traduction !

Si tel est bien le cas, si Fleck et Tenenbaum sont bien des Juifs américains d'origine germanique, ils seraient alors en tout point semblables au lieutenant Rosenberg – Albert G. Rosenberg – arrivé à Buchenwald quelques jours après eux – le 16 avril, exactement : l'exactitude ne nuit pas au récit romanesque ! Un lieutenant américain à qui je dois beaucoup, avec lequel j'ai eu tant affaire, d'une façon ou de l'autre, tout au long de ma vie d'écrivain, et qui ne va pas tarder à surgir dans mon récit.

Quoi qu'il en soit, j'étais là, en effet, sur la grande route de Weimar, parmi les déportés en armes et en haillons. Fleck et Tenenbaum ont décrit la scène, impressionnés, dans leur Rapport préliminaire du 24 avril 1945. Je l'ai traduit tout à l'heure à la va-vite, autant en reprendre la version originale.

We turned a corner onto a main highway and saw thousands of ragged, hungry-looking men, marching in orderly formations, marching East. These men were armed and had leaders at their sides. Some platoons carried German rifles. Some platoons had panzerfausts on their shoulders. Some «potato masher» hand grenades. They laughed and waved wildly as they walked… These were the inmates of Buchenwald, walking out to war as tanks swept by at 25 miles an hour…

Certes, nous n'étions pas des milliers. Nous n'étions que quelques centaines de déportés en armes. Fleck et Tenenbaum croient en avoir vu des milliers, *thousands*, mais c'est sans doute sous l'effet de la surprise, de l'émotion.

Émotion partagée, d'ailleurs, forcément.

Ils l'ont noté, nos deux héros d'un roman possible. «Ils riaient et faisaient des gestes fous en marchant», disent-ils de nous. Et c'est sûrement vrai. Mettez-vous à notre place : nous quittions l'enfer des derniers jours de Buchenwald ; les razzias des SS, déchaînés et apeurés à la fois, lâchés dans le camp pour essayer de nous rassembler sur la place d'appel, à coups de crosse ou de matraque, de feu parfois, en vue d'une évacuation à laquelle l'organisation clandestine d'autodéfense opposait une résistance passive mais déterminée.

Seuls les responsables de la communauté polonaise, en désaccord avec cette directive, avaient donné aux leurs l'ordre d'accepter l'évacuation, car ils pensaient que la garnison SS détruirait le camp et exterminerait les survivants à la fin des fins. Opinion que semblait confirmer l'arrivée à Buchenwald de plusieurs compagnies SS de lance-flammes, les derniers jours.

Par ailleurs, les chefs militaires de l'organisation polonaise avaient estimé que les chances de survie, par évasions massives, seraient nettement plus grandes sur les routes de l'exode, de l'évacuation. Ils avaient choisi ce risque-là, plutôt que d'attendre à l'intérieur du camp un combat perdu d'avance, croyaient-ils.

Ainsi, trois ou quatre jours avant l'arrivée de Fleck et de Tenenbaum, à l'avant-garde des régiments de choc de Patton, les Polonais s'étaient rassemblés à l'heure prévue sur la place d'appel.

Les officiers de la garnison SS qui dirigeaient le plan d'évacuation ont pu être frappés par deux détails significatifs.

D'abord, tous les Polonais rassemblés étaient jeunes, ingambes, apparemment en bonne santé. Les chefs de la communauté polonaise avaient abandonné derrière eux les vieillards, les malades, les naufragés.

En deuxième lieu, malgré l'autorisation donnée par les nazis d'emporter quelque bagage, les Polonais massés sur la place d'appel n'emportaient rien. Peut-être quelque croûton de pain dans leurs poches, c'est tout.

Épaule contre épaule, le regard perdu dans les frondaisons de la forêt alentour, ils étaient légers, libres de leurs mouvements, presque joyeux. Prêts à tout, au combat, à la fuite, à la course éperdue, muscles bandés pour le jaillissement, le bond en avant, vers la forêt proche, son ombre tutélaire : la liberté.

Mais nous, Français, Russes, Allemands, Espagnols, tous les survivants européens – sauf les Polonais, je viens de dire pourquoi –, tous ceux qui avaient obéi aux directives du Comité militaire clandestin, en haillons, en armes, « *hungry looking* », comme l'ont écrit Fleck et Tenenbaum, faméliques, nous étions là, en rangs serrés, en marche vers Weimar, ville toute proche dont le nom évoquait tant de choses pour beaucoup d'entre nous.

En tout cas, les deux Américains qui ont écrit ce rapport, même s'ils se trompaient sur le nombre de déportés en armes, puisqu'ils ont cru en voir des milliers, alors que nous n'étions que quelques centaines – déjà assez insolite, pas la peine d'en rajouter! –, racontent la vérité : ils ont bien vu l'essentiel.

D'un coup d'œil expert, ils ont repéré quel était l'armement de ces détachements étrangement dépenaillés, à la surprenante maigreur. Ils ont bien vu les fusils, les grenades à manche, les bazookas, qu'ils nomment « *panzerfaust* ».

Précisément, je faisais partie de l'un de ces détachements armés de bazookas, puisqu'il faut bien désigner cet engin antichar – un lance-roquette portable – par son nom américain.

Les groupes de combat armés de bazookas – Fleck et Tenenbaum ignoraient forcément ce détail – constituaient la deuxième vague d'assaut du dispositif militaire des déportés de Buchenwald chargés de prendre le contrôle des miradors de surveillance, tout au long de l'enceinte électrifiée, et du bâtiment trapu de l'entrée du camp.

Dans la première vague, armée de fusils et de mitraillettes, il n'y avait que des combattants chevronnés, à l'expérience militaire indiscutable. La plupart d'entre eux étaient des anciens des Brigades internationales de la guerre d'Espagne. Des Français de la XIVe, parmi lesquels mon copain Fernand Barizon. Des Allemands de la Thaelmann. Des Italiens de la Garibaldi. Et ainsi de suite. Quant aux Polonais de la Dombrowski, ils encadraient les jeunes maquisards partis volontairement sur les routes de l'évacuation.

Autour de ce noyau de brigadistes, il y avait des

combattants de toute l'Europe : rescapés des Glières ou du Vercors, survivants de la guérilla dans les montagnes de la Slovaquie, les forêts des Carpates, l'immensité russe.

La deuxième vague c'était nous, les porteurs de bazookas.

Certes, au départ de l'opération, lorsque les groupes de choc clandestins, concentrés dans divers endroits du camp, eurent réceptionné les armes, cachées jusqu'alors ; lorsqu'ils ont reçu l'ordre de monter à l'assaut des miradors – et chaque détachement connaissait son itinéraire, son objectif ; chaque combattant savait combien de minutes il lui faudrait pour atteindre le but assigné : tout avait été répété minutieusement, chaque trajet, chaque geste, mais sans armes, forcément, au milieu de la foule anonyme, accablée, des dimanches après-midi –, au moment, donc, où les groupes de combat s'élançaient, il n'y avait pas une arme individuelle – bazooka, fusil ou mitraillette, n'importe – pour chacun d'entre nous. Si je me souviens bien, il devait y avoir au maximum deux armes par groupe de dix.

Les huit autres, désarmés, fonçaient du même élan, prêts à ramasser les armes des morts et des blessés, prêts à s'armer dans les dépôts des casernements SS que nous espérions abandonnés.

Ce fut le cas, en effet. Nous y trouvâmes assez d'armes pour nous équiper entièrement, avant de marcher sur Weimar par la route ouverte dans la forêt de hêtres, où nous rencontrâmes sans le savoir la jeep d'Egon W. Fleck et d'Edward A. Tenenbaum.

Mais ça n'a pas pu durer longtemps : cette rencontre fortuite a forcément été fugitive.

Le temps pour eux de jeter un regard, surpris mais attentif, sans doute ému, sur les centaines d'escogriffes dépenaillés, faméliques, soudain apparus, en armes, marchant en formations serrées, encadrées, vers l'est – vers la ville de Weimar, en réalité –, et aussitôt Fleck et Tenenbaum avaient dû s'éloigner, leur jeep ayant repris sa course, roulant vers l'entrée de Buchenwald.

Ont-ils commenté à haute voix ce qu'ils venaient de voir? Se sont-ils interrogés sur la nature exacte, l'origine véritable de ces détachements armés?

C'est fort possible, c'est même quasiment sûr.

Je ne sais rien, à peu près rien, de ces deux Américains. En d'autres circonstances, à un âge différent de ma vie, il n'aurait pas été impensable d'entreprendre une recherche, une exploration plus approfondie des archives, un travail auprès d'éventuels témoins survivants, pour connaître la vie antérieure de Fleck, le civil, de Tenenbaum, le premier lieutenant. Leur vie jusqu'à ce jour du 11 avril 1945 : leur enfance, leurs études, leurs amours juvéniles, leur rapport intime à leur propre judéité, ainsi de suite.

Mais je ne puis faire cette recherche, je m'en excuse. Je dois me contenter des maigres informations que je possède, des rares documents à ma portée, en particulier de leur *Preliminary Report* du 24 avril 1945.

Je n'y apprendrai rien sur Fleck. Seulement que c'est un civil, rien d'autre. Mais pourquoi est-il là? Quel rôle joue-t-il? A-t-il une mission spéciale?

En revanche, la personnalité de Tenenbaum y est en partie déchiffrable. Son profil professionnel s'y dessine mieux.

Le premier lieutenant Edward A. Tenenbaum, en effet,

était un officier des Services de renseignement militaire, assigné à l'unité de Propagande de guerre du QG du XIIe groupe d'armées, sous le commandement du général Omar N. Bradley.

Nous n'en saurons guère plus, mais c'est assez.

Suffisant pour imaginer leur dialogue, leurs exclamations de surprise émue, excitée, lorsqu'ils découvrirent, en débouchant dans la route qui conduisait à l'entrée de Buchenwald, les détachements de déportés en armes.

Car une chose est sûre.

Ensemble, puisqu'ils formaient équipe, même si nous ignorons pourquoi, s'enfonçant dans les profondeurs de l'Allemagne, avec les avant-gardes de l'armée américaine, Fleck et Tenenbaum auront déjà vu des camps, plus ou moins importants, libérés par cette avance. Ils auront déjà vu des hommes faméliques, *hungry-looking men*, qui les observaient probablement avec le regard éteint, dévasté, mortifère, des rescapés. Ils auront déjà remarqué l'atonie vitale des survivants, qui n'avaient plus rien à demander à la vie, qui se trouvaient encore en deçà de toute survie.

Mais ils n'auront jamais vu des déportés en armes.

Car nous étions faméliques, titubants, les yeux exorbités, probablement, mais nous étions en armes; les exhibant avec une joie sauvage (je reprends les termes de leur rapport préliminaire). Des armes – fusils, bazookas, grenades à manche – rassemblées en secret depuis des années, une par une, en pièces détachées parfois, sorties de leurs cachettes pour ce jour d'avril mémorable. Des armes qui symbolisaient non seulement la liberté retrouvée, bien davantage, une dignité reconquise.

On peut comprendre que Fleck et Tenenbaum, Juifs

américains en train de découvrir les crimes du nazisme, et en particulier l'extermination de leur peuple, on peut comprendre qu'ils aient été bouleversés en voyant les détachements armés des déportés de Buchenwald.

C'était la première fois qu'ils voyaient une chose pareille : des déportés armés, joyeux exubérants, *they laughed and waved wildly as they walked... These were the inmates of Buchenwald, walking out to war as tanks swept by at 25 miles an hour...*

Ils ont dû s'interpeller, s'exclamer de joie, nos deux personnages d'un roman à écrire. On peut imaginer leurs cris, leur dialogue, en découvrant ce spectacle inouï.

Nous, de notre côté, nous n'avons pas remarqué cette jeep. Moi, en tout cas, je ne l'ai pas remarquée.

Nous nous sommes croisés, c'est tout, ni vu ni connu.

EXERCICES DE SURVIE

Composition : Daniel Collet, In Folio
Achevé d'imprimer
par l'Imprimerie Floch
à Mayenne, le 17 octobre 2012.
Dépôt légal : octobre 2012.
Numéro d'imprimeur : 83432.

ISBN 978-2-07-013900-2 / Imprimé en France.

246216